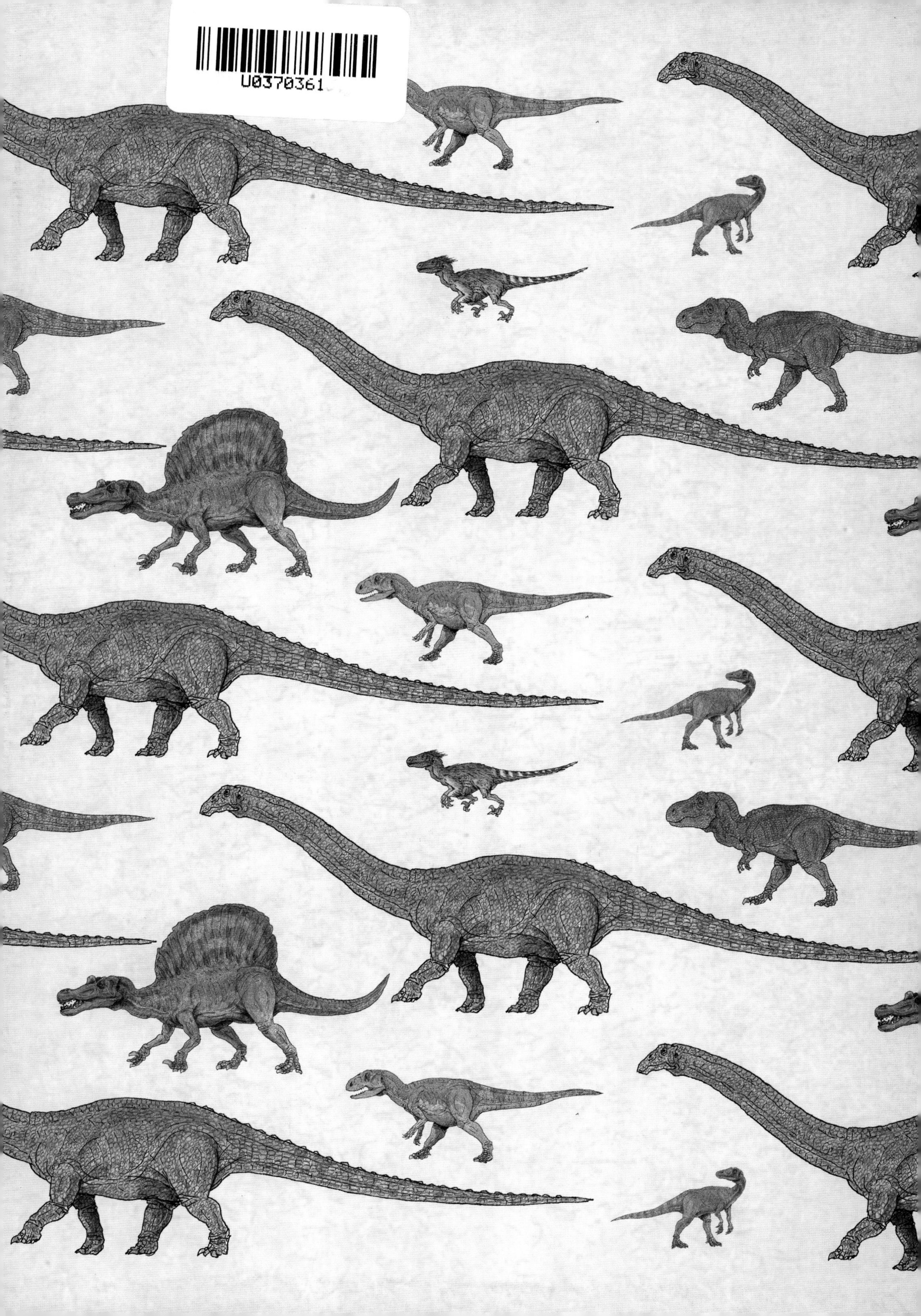

目　录

前言………02

不断移动的大陆………04

恐龙发现地图目录………06

欧洲发现的恐龙………08
英国发现的恐龙………10
非洲 / 中东发现的恐龙………12
北美洲发现的恐龙❶………14
北美洲发现的恐龙❷………16
南美洲发现的恐龙………18
大洋洲发现的恐龙………20
北极圈内发现的恐龙………22
南极圈内发现的恐龙………23
欧亚大陆北部发现的恐龙………24
蒙古发现的恐龙………26
印度 / 东南亚发现的恐龙………28
东亚发现的恐龙……30

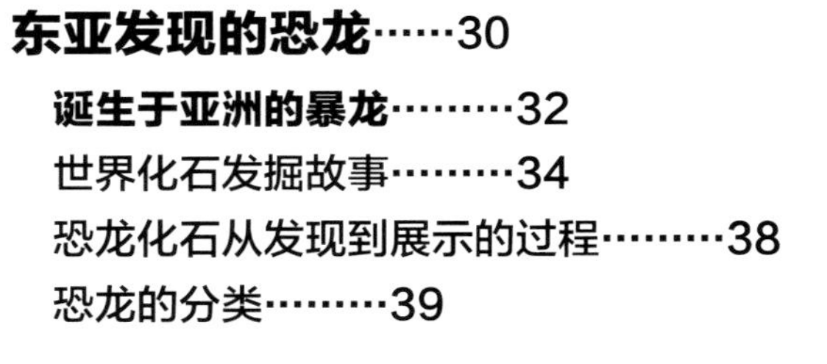

诞生于亚洲的暴龙………32

世界化石发掘故事………34

恐龙化石从发现到展示的过程………38

恐龙的分类………39

本书中所出现的恐龙………40

化石发现地地名………44

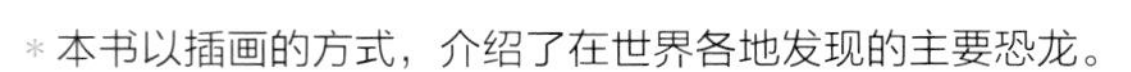

* 本书以插画的方式，介绍了在世界各地发现的主要恐龙。

* 有些地方发现的化石，只是恐龙的一颗牙齿、脚或尾巴等的部分骨骼；也有一些化石，几乎是全身的骨骼都保存了下来，并被挖掘出来。

* 被发现的化石，在无法明确辨认其种类的情况下，在它的名字后面加有“？”。

* 在本书中还出现了翼龙、鱼龙、蛇颈龙等与恐龙生存在同一年代的生物，在这些生物名字的后面用（ ）表示出了它们所属的类别。

* 地图上所标示的数字所代表的是化石出土的产地，产地地名请参照 44 页。

World Atlas of Dinosaurs

恐龙发现

文·图/【日】久邦彦　译/张　辰

山东省地图出版社

前言

在地球上曾经生活着很多恐龙，有的恐龙比大象还要大，有的比鸡还要小，种类也多种多样。那时在地球上，放眼望去，到处都是恐龙。这个时代大约持续了1亿5000万年。

但是，在距今 6500 多万年前，发生了一件彻底改变地球面貌的事件，恐龙的时代结束了。

现在，已经变成了化石的恐龙长眠地下。研究人员和化石猎人在世界各地寻找这些化石，并对它们进行研究。我们一起去看看，在地球上的哪些地方，发现了什么样的恐龙化石吧！

不断移动的大陆

在恐龙生活的时代里，陆地的样子与现在有着很大的不同。

这是为什么呢？

事实上，我们脚下的陆地是在缓慢地移动着的。

三叠纪 大约 2 亿 5200 万年前 ~ 2 亿年前

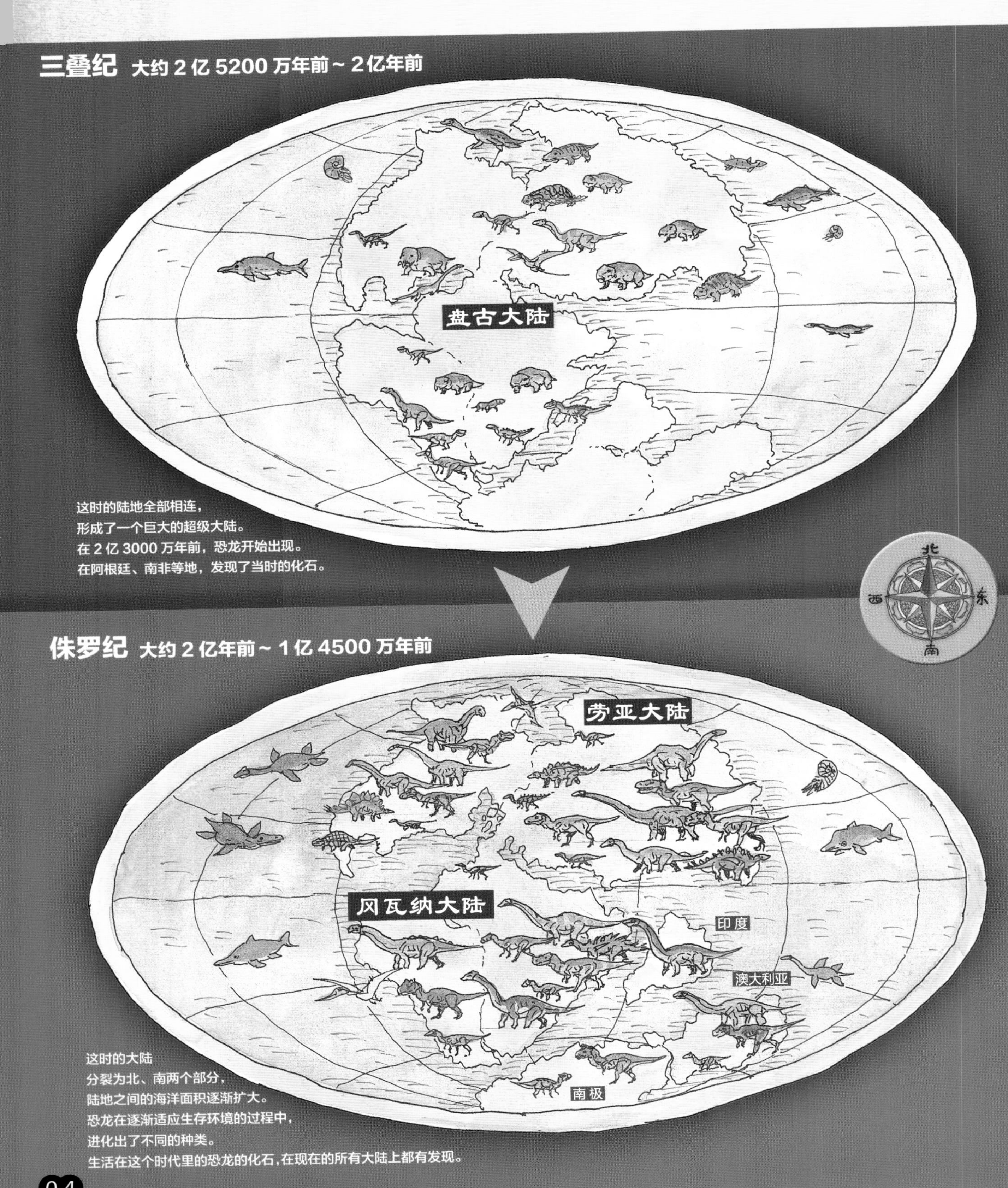

这时的陆地全部相连，
形成了一个巨大的超级大陆。
在 2 亿 3000 万年前，恐龙开始出现。
在阿根廷、南非等地，发现了当时的化石。

侏罗纪 大约 2 亿年前 ~ 1 亿 4500 万年前

这时的大陆
分裂为北、南两个部分，
陆地之间的海洋面积逐渐扩大。
恐龙在逐渐适应生存环境的过程中，
进化出了不同的种类。
生活在这个时代里的恐龙的化石，在现在的所有大陆上都有发现。

大陆为什么会漂移？

地球的内部是温度非常高的液体（地幔），大陆处在它的上部。内部的液体在热力的作用下不断移动，因此，大陆也会以 1 年几厘米的速度在地球表面移动。这也就是为什么地球表面上的陆地时而分开，时而合并在一起的原因。

当大陆分开时，它们之间就形成了海洋。如果两块漂移的大陆发生了碰撞，陆地就会隆起，形成高山。

现在

随着恐龙的灭绝，
哺乳动物繁盛起来，
在很长时间的进化过程中，
很多种类的哺乳动物已不复存在。
今天，那些经历了冰河时期幸存下来的动物，
生活在森林、平原、沙漠等各种环境中。

白垩纪 大约 1 亿 4500 万年前 ~ 6600 万年前

这时的大陆分裂为更小的板块。
恐龙持续进化，种类达到了最多。
但是，在这个时代结束的时候，
所有的恐龙都灭绝了（只有那些进化成了鸟类的种类幸存了下来）。

恐龙发现地图目录
北极圈内发现的恐龙 22页
英国发现的恐龙
10-11页
欧亚大陆北部发现的恐龙
24-25页
东亚发现的恐龙
30-31页
欧洲发现的恐龙
8-9页
蒙古发现的恐龙
26-27页
非洲 / 中东发现的恐龙
12-13页
印度 / 东南亚发现的恐龙
28-29页
欧泊!
大洋洲发现的恐龙
20-21页
在恐龙化石的发掘地，用三种不同的颜色，表示恐龙各自的生活时代。
三叠纪 大约2亿5200万年前~2亿年前
侏罗纪 大约2亿年前~1亿4500万年前
白垩纪 大约1亿4500万年前~6600万年前
南极圈内发现的恐龙 23页

北美洲发现的恐龙❷
16-17页
北美洲发现的恐龙❶
14-15页
南美洲发现的恐龙
18-19页
北
西
东
南

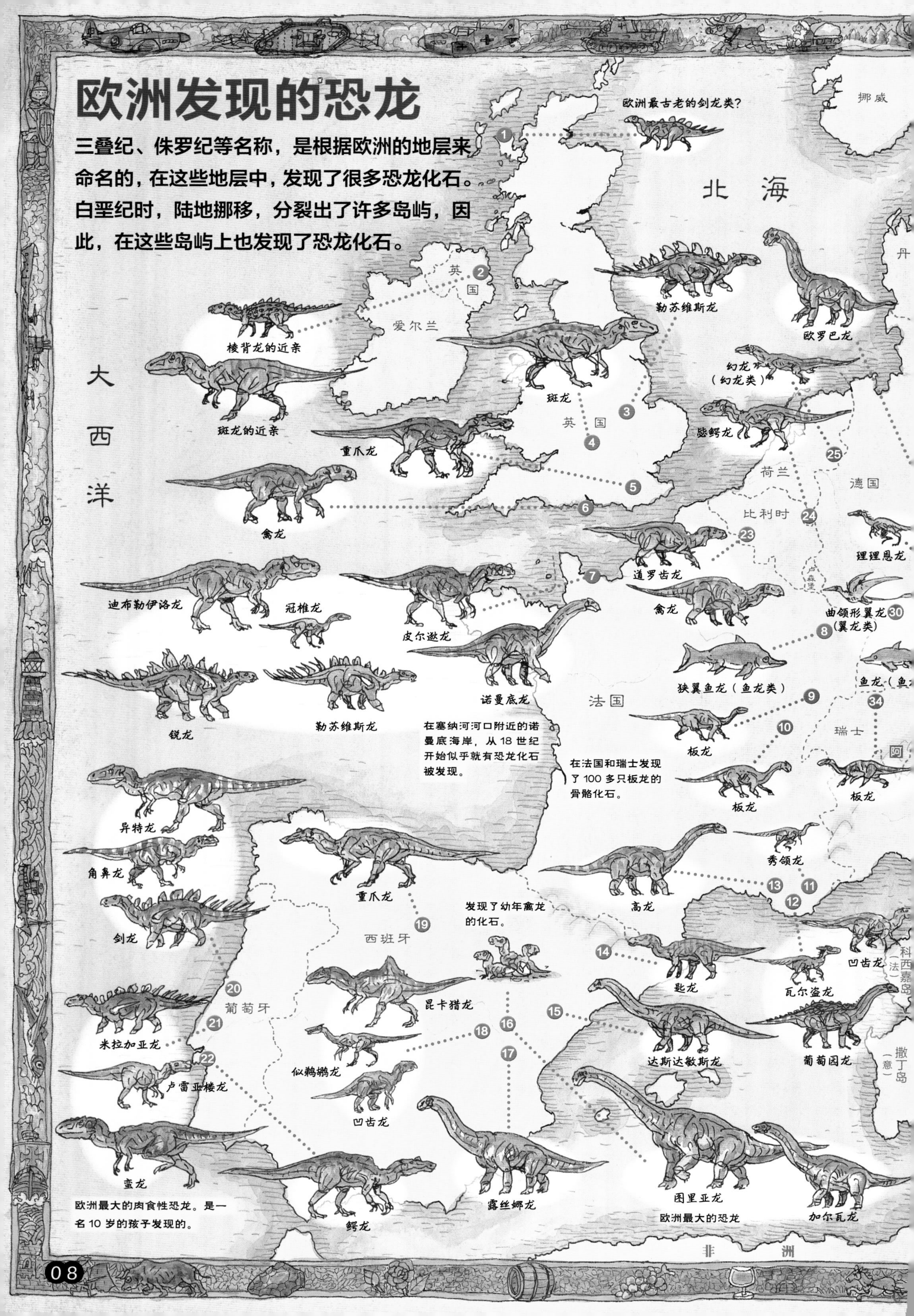
欧洲发现的恐龙
三叠纪、侏罗纪等名称，是根据欧洲的地层来命名的，在这些地层中，发现了很多恐龙化石。白垩纪时，陆地挪移，分裂出了许多岛屿，因此，在这些岛屿上也发现了恐龙化石。
欧洲最古老的剑龙类?
挪威
北 海
丹
英国
爱尔兰
棱背龙的近亲
勒苏维斯龙
欧罗巴龙
大西洋
斑龙的近亲
斑龙
幻龙（幻龙类）
英国
鬣鳄龙
重爪龙
荷兰
德国
禽龙
比利时
理理恩龙
道罗齿龙
卢森堡
迪布勒伊洛龙
冠椎龙
皮尔逊龙
禽龙
曲颌形翼龙（翼龙类）
狭翼鱼龙（鱼龙类）
鱼龙（鱼
诺曼底龙
法国
锐龙
勒苏维斯龙
在塞纳河河口附近的诺曼底海岸，从18世纪开始似乎就有恐龙化石被发现。
在法国和瑞士发现了100多只板龙的骨骼化石。
板龙
瑞士
板龙
板龙
异特龙
角鼻龙
重爪龙
高龙
秀颌龙
剑龙
发现了幼年禽龙的化石。
西班牙
凹齿龙
科西嘉岛（法）
匙龙
瓦尔盗龙
葡萄牙
昆卡猎龙
米拉加亚龙
达斯达敏斯龙
葡萄园龙
撒丁岛（意）
似鹅鹕龙
卢雷亚楼龙
凹齿龙
蛮龙
欧洲最大的肉食性恐龙。是一名10岁的孩子发现的。
露丝娜龙
鳄龙
图里亚龙
欧洲最大的恐龙
加尔瓦龙
非 洲

爱沙尼亚
俄罗斯
三叠纪
三叠纪~侏罗纪
侏罗纪
侏罗纪~白垩纪
白垩纪
在比利时，发现了30多只禽龙的化石，
从幼年到成年都有，
人们从中推测，恐龙是集体行动的。
波罗的海
瑞典
拉脱维亚
立陶宛
蜥脚类恐龙
似驰龙
26
博恩霍尔姆岛
俄罗斯
白俄罗斯
最原始的恐龙之一，在很长的一段时间里，它的化石只在南美洲被发现。
27
莫阿大学龙
埃雷拉龙
秀颌龙
40
波兰
北
西
东
南
始祖鸟（鸟类）
蛙嘴龙（翼龙类）
41
足迹
乌克兰
喙嘴翼龙（翼龙类）
翼手龙（翼龙类）
捷克
马扎尔龙
沼泽龙
39
兽脚类恐龙
侏罗猎龙
斯洛伐克
凹齿龙
奥地利
匈牙利
厚甲龙
似松鼠龙
摩尔多瓦
山
脉
斯
38
奥伊考角龙
重腿龙
沛温翼龙（翼龙类）
43
沼泽鸟龙
七镇鸟龙
42
匈牙利龙
35
斯洛文尼亚
鸭嘴龙的近亲
罗马尼亚
查摩西斯龙
比霍尔龙
37
克罗地亚
波斯尼亚和黑塞哥维那
塞尔维亚
44
保加利亚
黑海
伊斯的利亚龙
黑山
大型的兽脚类恐龙
亚洲
在布里俄尼群岛国家公园发现了200多个恐龙足迹化石。
阿尔巴尼亚
北马其顿
土耳其
意大利
36
始祖鸟
始祖鸟化石发现于德国著名的化石产地"索伦霍芬"，并于1861年报告发现。始祖鸟身长约40厘米，大小像一只长着长尾巴的鸽子。在化石中，始祖鸟留下了完美的羽毛印迹，它是鸟类，还是恐龙，取决于人们对它不同的判定标准。
希腊
地中海
棒爪龙
西西里岛
意大利首次发现的恐龙化石，化石的保存状态非常好，可以观察到内脏器官。
爱琴海

英国发现的恐龙

1841 年，“恐龙”的分类首次在英国皇家学会得到认可。英国皇家学会是达尔文的进化论和 19 世纪世界恐龙研究的中心地。

禽龙

禽龙是第一种被系统研究的恐龙，曼特尔根据对禽龙的研究，用学名命名了它。禽龙的学名原意是“鬣蜥的牙齿”。人们按照当时发现的巨大的鬣蜥的身体形状对它进行了复原。全长约 10 米。

重爪龙

学名原意是“巨大的爪子”。因为在肚子里发现了鱼鳞化石，所以重爪龙以是像鳄鱼一样吃鱼的恐龙而闻名。全长约 10 米。

欧文宣布了“恐龙”的存在。之后，在伦敦举办的世界博览会上复原了与实体一样大的禽龙。这张插画所描绘的是 1850 年的纪念派对。

查尔斯·达尔文

1859 年，他发表了生物进化论，这一与《圣经》教义相违背的理论，让当时的学术界震惊不已。

理查德·欧文

1841 年，作为英国皇家学会的重量级人物，通过对化石的研究，他认为这些化石属于已灭绝了的爬行动物的一部分，并首次提出了“恐龙”的分类。

吉迪恩·曼特尔

恐龙研究的开拓者。他仔细研究了禽龙化石，证实了它们来自于远古时代巨大的爬行动物。

玛丽·安宁

19 世纪初，她发现了很多化石，如鱼龙和蛇颈龙等，是一位为英国古生物学做出了巨大贡献的化石猎人。

世界上第一个被正式命名的恐龙化石，就是来自于这里发现的斑龙。

⑳莱姆里杰斯是一个小村庄，是玛丽的出生地，在这里的沿海悬崖上发现了许多化石。

“白垩纪”的名字来自于这里的断崖上所露出的白垩土。

根据在这个地区发现的牙齿化石，曼特尔将这种恐龙命名为“禽龙”。

㉔这个岛上的牧师，共发现了 500 多块化石。

● 三叠纪～侏罗纪 ● 侏罗纪 ● 白垩纪

非洲 / 中东发现的恐龙
在非洲大陆的南部，发现了与南美洲大陆南部一样的三叠纪初期的恐龙化石，这说明当时这两块陆地是接连在一起的。
切布龙
汉氏塔塔乌纳龙
足迹
塔邹达龙
1 摩洛哥
2
3
阿尔及利
柏柏尔龙
腕龙的近亲
鲸龙
❷这个化石产地被称作“卡玛卡玛”，它位于摩洛哥和阿尔及利亚国界的交界地带。
雷巴齐斯龙
蜥脚类恐龙
兽脚类和蜥脚类
撒
10
毛里塔尼亚
棘龙
三角洲奔龙
巴哈利亚龙
蜥脚类恐龙
11
马里
12
蜥脚类恐龙
斯基玛萨龙
玛君龙?
索伦龙
鲨齿龙
几内亚
兽脚类和蜥脚类恐龙
加纳
科特迪瓦
⓯位于撒哈拉沙漠中的恐龙化石产地，在这里发现了很多大型恐龙的化石。
棘刺龙
无畏龙
约巴龙
沉龙
艾尔雷兹龙
似鳄龙
非洲猎龙
皱褶龙
隐面龙
尼日尔龙
重爪龙
脊饰龙
始鲨齿龙
鲨齿龙
尼日尔龙是一种嘴部扁平、比较特殊的蜥脚类恐龙，它以地面上生长的植物为食。
大　西　洋
翼龙的近亲
原盖龟
（龟类）
沧龙
（沧龙类）
蛇颈龙
（蛇颈龙类）
南美洲
北
西
东
南
棘龙
最大的肉食性恐龙，背上长有一个独特的大背帆。从它的牙齿和嘴的形状上推断，被认为主要以鱼类为食。全长 16 米。
三叠纪～侏罗纪
侏罗纪
侏罗纪～白垩纪
白垩纪

棘龙
斯
禽龙
地中海
腕龙的近亲
足迹
伊朗
阿富汗
鸟脚类恐龙
兽脚类恐龙
巴基斯坦
在伊朗国内首次发现的恐龙。
沧龙（沧龙类）
约旦
利比亚
兽脚类和蜥脚类恐龙
埃及
沙特阿拉伯
印度
埃及龙
泰坦巨龙的近亲
阿曼
大型的兽脚类恐龙
沙漠
潮汐龙
阿贝利龙的近亲
阿拉伯海
红海
学名原意是“巨大的长颈鹿”。它曾经被误认为是腕龙。
轻巧龙
棘龙
巴哈利亚龙
鲨齿龙
也门
尼日尔
乍得
在坦桑尼亚的汤达鸠地区，前后4次，共有20万人参与了与化石发掘相关的工作。
20世纪初，德国调查队考察了9所在化石产地，并将大量的化石带回了德国。第二次世界大战期间，它们中的大部分在空袭被炸毁了。
足迹
长颈巨龙
利亚
兽脚类恐龙
棘龙的近亲
苏丹
蜥脚形类恐龙
埃塞俄比亚
索马里
叉龙
南苏丹
无畏龙
大型的兽脚类恐龙
鸭嘴龙的近亲
托尼龙
南方梁龙
喀麦隆
乌干达
詹尼斯龙
汤达鸠龙
刚果
肯尼亚
角鼻龙
加蓬
刚果民主共和国
轻巧龙
莱托氏橡树龙
卢旺达
维多利亚湖
钉状龙
东非龙
在钻石矿场发现的。
足迹
鲁夸巨龙
安哥拉巨龙
坦噶尼喀湖
坦桑尼亚
在安哥拉国内首次发现的恐龙。
拉伯龙
掠食龙
古齿龙
小型的蜥脚类恐龙
马拉维龙
安哥拉
玛君龙
恶龙
赞比亚
卡龙加龙
足迹
优肢龙
津巴布韦
莫桑比克
马达加斯加
孤独小盗龙
肋空鸟龙
火山齿龙
腔棘鱼（鱼类）
印度洋
纳米比亚
斯威士兰
祖父板龙
康纳龙
南非
莱索托
雷前龙
贝里肯龙
黑丘龙
龙猎龙
地爪龙
大椎龙
始奔龙
合踝龙
莱索托龙
阿尔哥龙
似花君龙
畸齿龙
狼嘴龙
醒龙
斯托姆柏格龙
法布尔龙

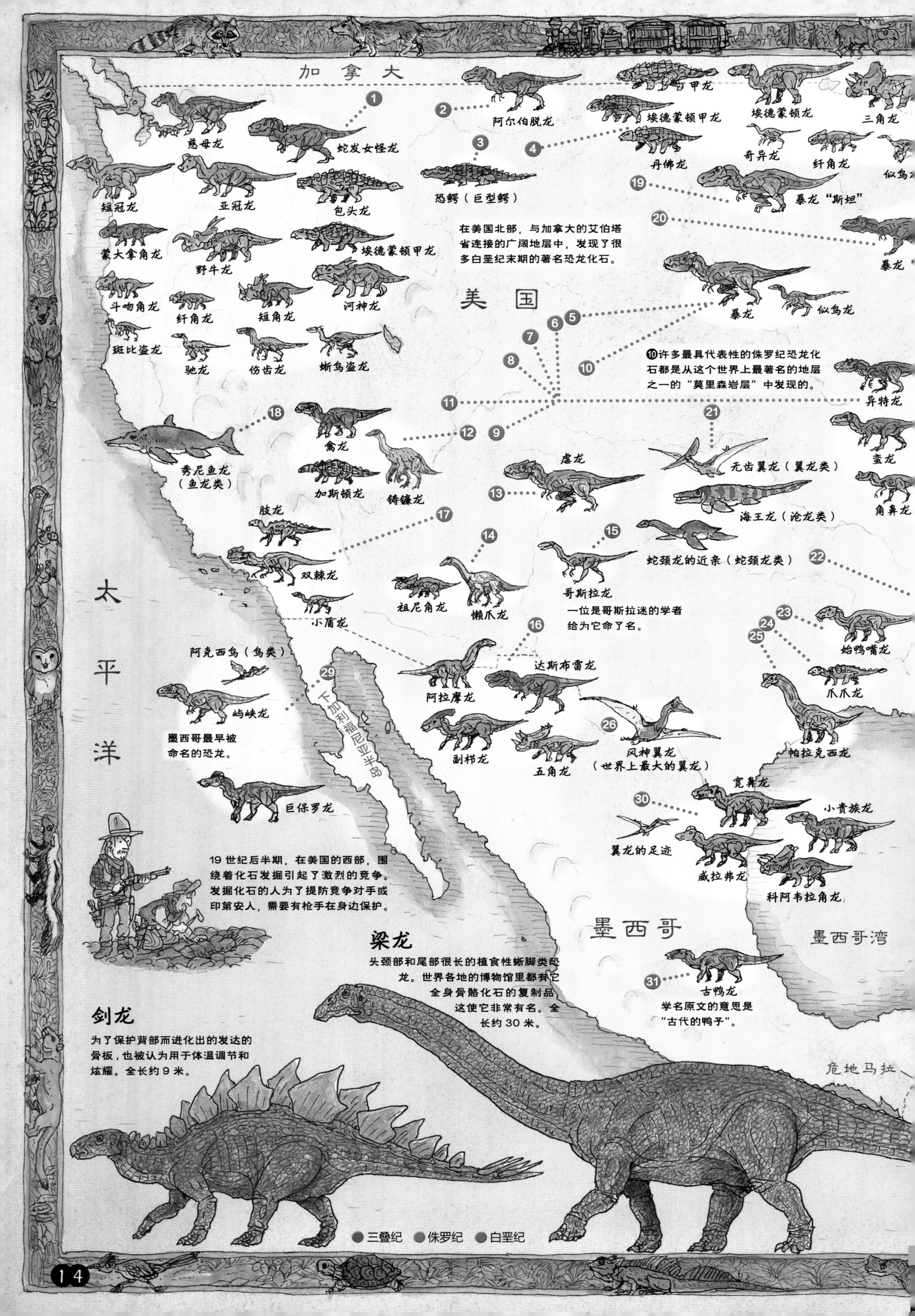

加拿大
慈母龙
蛇发女怪龙
阿尔伯脱龙
甲龙
埃德蒙顿甲龙
埃德蒙顿龙
三角龙
短冠龙
亚冠龙
包头龙
恐鳄（巨型鳄）
丹佛龙
奇异龙
纤角龙
似鸟龙
暴龙“斯坦”
蒙大拿角龙
野牛龙
埃德蒙顿甲龙
在美国北部，与加拿大的艾伯塔省连接的广阔地层中，发现了很多白垩纪末期的著名恐龙化石。
暴龙
斗吻角龙
纤角龙
短角龙
河神龙
美国
暴龙
似鸟龙
斑比盗龙
驰龙
伤齿龙
蜥鸟盗龙
⑩许多最具代表性的侏罗纪恐龙化石都是从这个世界上最著名的地层之一的“莫里森岩层”中发现的。
异特龙
秀尼鱼龙（鱼龙类）
禽龙
加斯顿龙
铸镰龙
虐龙
无齿翼龙（翼龙类）
蛮龙
角鼻龙
海王龙（沧龙类）
肢龙
双棘龙
祖尼角龙
懒爪龙
哥斯拉龙
一位是哥斯拉迷的学者给为它命了名。
蛇颈龙的近亲（蛇颈龙类）
太平洋
小盾龙
始鸭嘴龙
爪爪龙
阿克西鸟（鸟类）
阿拉摩龙
达斯布雷龙
屿峡龙
墨西哥最早被命名的恐龙。
下加利福尼亚半岛
副栉龙
五角龙
风神翼龙
（世界上最大的翼龙）
帕拉克西龙
宽鼻龙
巨保罗龙
小贵族龙
翼龙的足迹
威拉弗龙
科阿韦拉角龙
19世纪后半期，在美国的西部，围绕着化石发掘引起了激烈的竞争。发掘化石的人为了提防竞争对手或印第安人，需要有枪手在身边保护。
墨西哥
墨西哥湾
梁龙
头颈部和尾部很长的植食性蜥脚类恐龙。世界各地的博物馆里都有它全身骨骼化石的复制品，这使它非常有名。全长约30米。
古鸭龙
学名原文的意思是“古代的鸭子”。
剑龙
为了保护背部而进化出的发达的骨板，也被认为用于体温调节和炫耀。全长约9米。
危地马拉
三叠纪 侏罗纪 白垩纪

北美洲发现的恐龙①
受欧洲恐龙发现的鼓舞，从 19 世纪后半期到 20 世纪初期。北美洲出现了大规模的恐龙挖掘热潮。
北
西
东
南
暴龙
矮暴龙
厚头龙
龙王龙
达科他盗龙
厚头龙
牛角龙
古巨龟
（世界上最大的海龟）
丹佛龙
三角龙
近蜥龙
27
食蜥王龙
虚骨龙
嗜鸟龙
梁龙
28
迷惑龙
鸭嘴龙
橡树龙
它在这个地方被发现并命名，是美国第一个被命名的恐龙。
圆顶龙
腕龙
雷龙
剑龙
超龙
怪嘴龙
西龙
星牙龙
腱龙
波塞东龙
高棘龙
恐爪龙
佛罗里达半岛
恐龙化石主要在北美大陆的西部被发现。在白垩纪，北美大陆上有一道贯穿南北部狭长的海洋，大陆被分隔为东西两个部分。
大西洋
大的陨石撞击了地球被认是造成恐龙时代结束的原，在这里发现了撞击后留的巨大陨石坑。
梁龙的近亲
32
古巴
翼龙的近亲
（翼龙类）
海地
多米尼加
伯利兹
加勒比海
洪都拉斯
尼加拉瓜
哥斯达黎加
哥伦比亚
委内瑞拉
厚头龙
以拥有肿厚且像石头一样坚硬的头骨而闻名。全长约 7 米。
驰龙
小而活跃的肉食性恐龙。全身被认为覆盖着羽毛。全长约 1.8 米。
副栉龙
植食性鸭嘴龙类恐龙。从鼻端延伸到头后部突出的管状头冠是它的发声器官，也有人认为是为了方便同类识别。全长约 8 米。
甲龙
全身覆盖着甲板的植食性恐龙，尾巴末端的骨槌是它的武器。全长约 9 米。
三角龙
它的特征是头上长有角、头后长有头盾。三角龙学名的意思是“长有三只角的脸”。它是植食性恐龙中暴龙的对手。全长约 9 米。
暴龙
巨大的颚部排列着大大的牙齿，是白垩纪后期肉食性恐龙中的王者。全长约 12.5 米。

北美洲发现的恐龙❷

在北美洲发现的恐龙化石，有许多与亚洲大陆发现的化石很相似，这说明在当时这两块大陆是相连的。此外，也证明了有些恐龙会随季节变化南北迁徙。

厚鼻龙

虽然是角龙的近亲，但它的鼻部并没有长“角”。上百头厚鼻龙的化石被集体发现，它们被认为是在打算集体渡河时，被泥石流所吞噬。全长约8米。

● 侏罗纪 ● 白垩纪

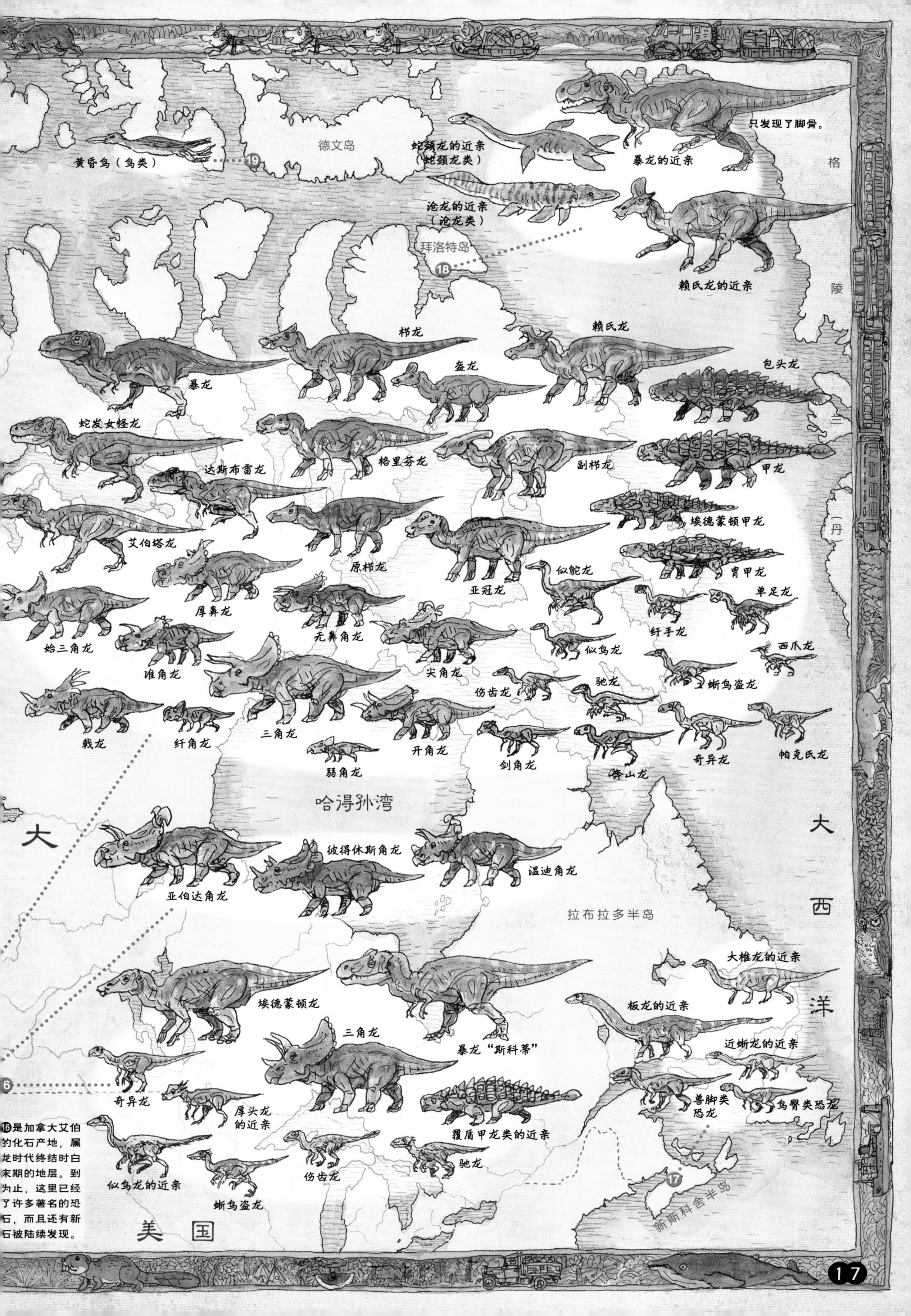

⑯是加拿大艾伯
的化石产地，属
龙时代终结时白
末期的地层。到
为止，这里已经
了许多著名的恐
石，而且还有新
石被陆续发现。

南美洲发现的恐龙

虽然在南美洲发现了不同时代的恐龙化石，但三叠纪早期的化石受到了恐龙进化研究者的特别关注。

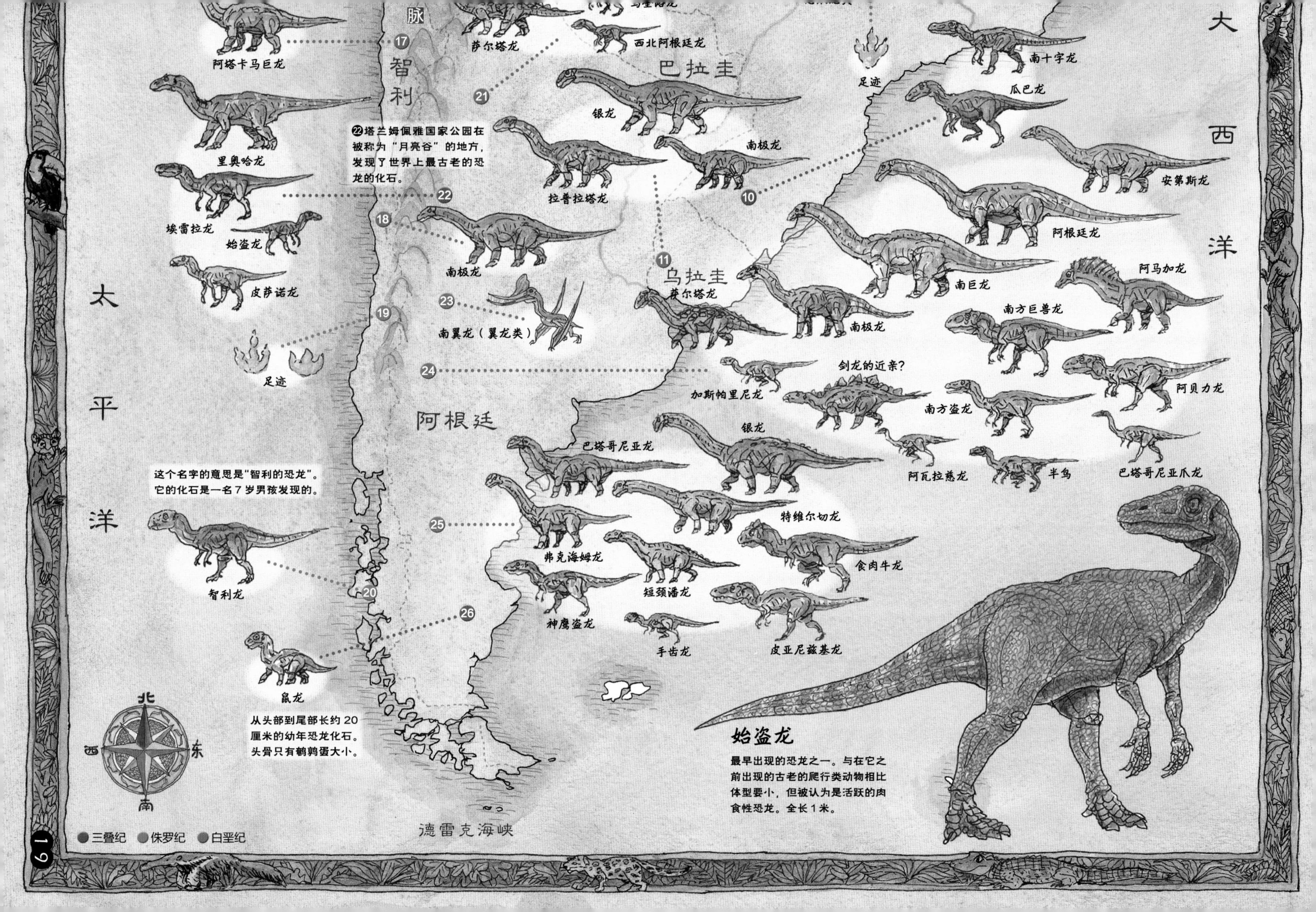

始盗龙

最早出现的恐龙之一。与在它之前出现的古老的爬行类动物相比体型要小，但被认为是活跃的肉食性恐龙。全长1米。

印度尼西亚
新几内亚岛（伊里安岛）
印度洋
足迹
在以出产珍珠而闻名的布鲁姆小镇的海岸上，发现了各种各样的恐龙足迹化石。通过这些足迹化石，可以推测出恐龙的种类，以及它们体型的大小、行走速度、是否是群居生活等许多方面的事情。
野龙
克柔龙（蛇颈龙龙）
盾龙
草原龙
翼龙的近亲（翼龙类）
温顿巨龙
迪亚曼蒂纳龙
澳洲盗龙
南方猎龙
蜥脚类恐龙
欧泊！
澳大利亚
出产欧泊的矿山。也发现了海洋爬行类动物的化石。
在被称作为“闪电岭”的欧泊矿山，发现了许多欧泊化了的恐龙牙齿和骨骼化石。
鱼龙的近亲（鱼龙类）
沧龙的近亲（沧龙类）
彩蛇龙
蛇颈龙的近亲（蛇颈龙类）
永生龙（蛇颈龙类）
在这里一个被称作“恐龙湾”的海岸上发现了恐龙化石。
上龙的近亲（蛇颈龙类）
窃蛋龙的近亲
似提姆龙
塔斯马尼亚岛
异特龙的近亲？
阿特拉斯科普柯龙
雷利诺龙
一个喜欢恐龙名叫雷利诺的女孩的父母发现了它的化石。
塔斯马尼亚龙（主龙类
三叠纪
三叠纪～侏罗纪
侏罗纪～白垩纪
白垩纪

大洋洲发现的恐龙

澳大利亚内陆有许多地区还没有被调查，因此，发现恐龙新物种的可能性很高。澳大利亚大陆是一块隐藏着与其他大陆板块之间关系之谜和进化秘密的大陆。

北极圈内发现的恐龙

北冰洋被亚欧大陆和北美大陆所环抱。北极圈内的大部分陆地被永冻土覆盖，很难进行挖掘调查。

不过，在北极圈内发现的很多树木化石说明恐龙时代这里很温暖。

南极圈内发现的恐龙

南极大陆整年都被厚厚的冰雪覆盖着。但在高地，也会有一些地层露出来。虽然数量不多，但也有恐龙化石在南极大陆被发现，这些化石被与非洲南部、南美洲和澳大利亚等地的恐龙化石进行比较研究。

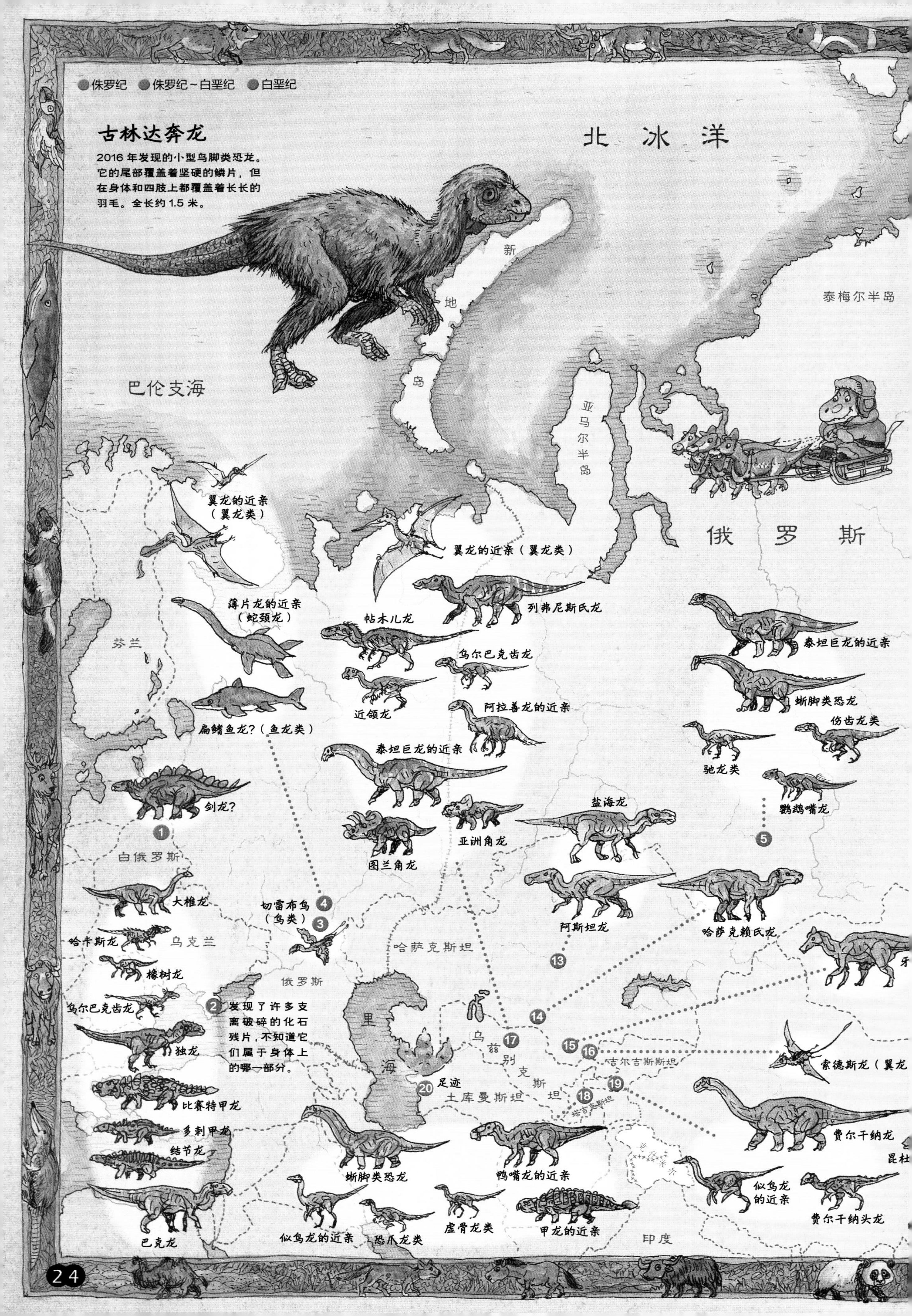

侏罗纪
侏罗纪～白垩纪
白垩纪
古林达奔龙
2016 年发现的小型鸟脚类恐龙。它的尾部覆盖着坚硬的鳞片，但在身体和四肢上都覆盖着长长的羽毛。全长约 1.5 米。
北冰洋
新
地
岛
巴伦支海
亚马尔半岛
泰梅尔半岛
俄罗斯
翼龙的近亲
（翼龙类）
翼龙的近亲（翼龙类）
列弗尼斯氏龙
薄片龙的近亲
（蛇颈龙）
帖木儿龙
芬兰
乌尔巴克齿龙
近颌龙
阿拉善龙的近亲
扁鳍鱼龙？（鱼龙类）
泰坦巨龙的近亲
蜥脚类恐龙
伤齿龙类
驰龙类
鹦鹉嘴龙
剑龙？
1
泰坦巨龙的近亲
亚洲角龙
盐海龙
图兰角龙
5
白俄罗斯
大椎龙
切雷布鸟
（鸟类）
4
3
阿斯坦龙
哈萨克赖氏龙
哈卡斯龙
乌克兰
哈萨克斯坦
橡树龙
13
俄罗斯
2
发现了许多支离破碎的化石残片，不知道它们属于身体上的哪一部分。
乌尔巴克齿龙
独龙
里
海
乌
兹
别
克
斯
坦
17
14
15
16
吉尔吉斯斯坦
索德斯龙（翼龙
20
足迹
比赛特甲龙
土库曼斯坦
18
塔吉克斯坦
19
多刺甲龙
结节龙
蜥脚类恐龙
鸭嘴龙的近亲
费尔干纳龙
似鸟龙的近亲
巴克龙
似鸟龙的近亲
恐爪龙类
虚骨龙类
甲龙的近亲
费尔干纳头龙
印度

欧亚大陆北部发现的恐龙

进入 20 世纪后，当时的苏联（现在的俄罗斯）与波兰组成的调查队在欧亚大陆北部地区发现了许多恐龙化石。这些恐龙是如何在这片连接欧洲和北美洲的广阔陆地上迁徙和进化的，是一个非常令人感兴趣的问题。

日本龙

在萨哈林岛上的煤矿中发现的中型鸭嘴龙类恐龙。它是第一个由日本人用学名命名的恐龙。全长 5 米以上。

蒙古发现的恐龙

以戈壁沙漠为中心，在蒙古陆续发现了许多恐龙化石。很多化石在发现时还保持着完整的样貌，如原角龙的全身骨骼、产卵的巢穴这样珍贵的化石。

贝
加
尔
湖
窃蛋龙的意思是“偷蛋的窃贼”。因为最初是在一堆恐龙蛋化石上发现了它的化石，所以就有了这个名字。但后来才搞清楚，它那是在孵自己的蛋。
恐龙搏斗化石是在戈壁沙漠中发现的最珍贵的化石之一，化石被发现时，植食性恐龙原角龙和肉食性恐龙伶盗龙仍保持着当时正在搏斗的姿态。
伶盗龙
在伶盗龙的胃中发现了翼龙的骨骼化石。
绘龙
窃蛋龙
原角龙
纳摩盖吐龙的近亲
长生天龙
伶盗龙和原角龙搏斗的化石
纳摩盖吐龙的近亲
禽龙的近亲
安德萨角龙
伤齿龙的近亲
似鸟身女妖龙
白山龙
禽龙
鹦鹉嘴龙
伤齿龙的近亲
鹦鹉嘴龙
12
13
14
20 世纪 20 年代，美国探险队在蒙古发现了大量的恐龙化石。他们还发现了一个古代人将描绘有图案的恐龙蛋壳整齐地排列摆放在一起的遗迹。
慢龙
阿米特头龙
沙漠龙
11
沙
10
漠
慢龙
鸭嘴龙的近亲
翼龙的近亲（翼龙类）
阿米特头龙
镰刀龙的近亲
非凡龙
阿拉善龙
共和国
拟鸟龙
死神龙
似金翅鸟龙
拟鸟龙
似鸟龙的近亲
似金翅鸟龙

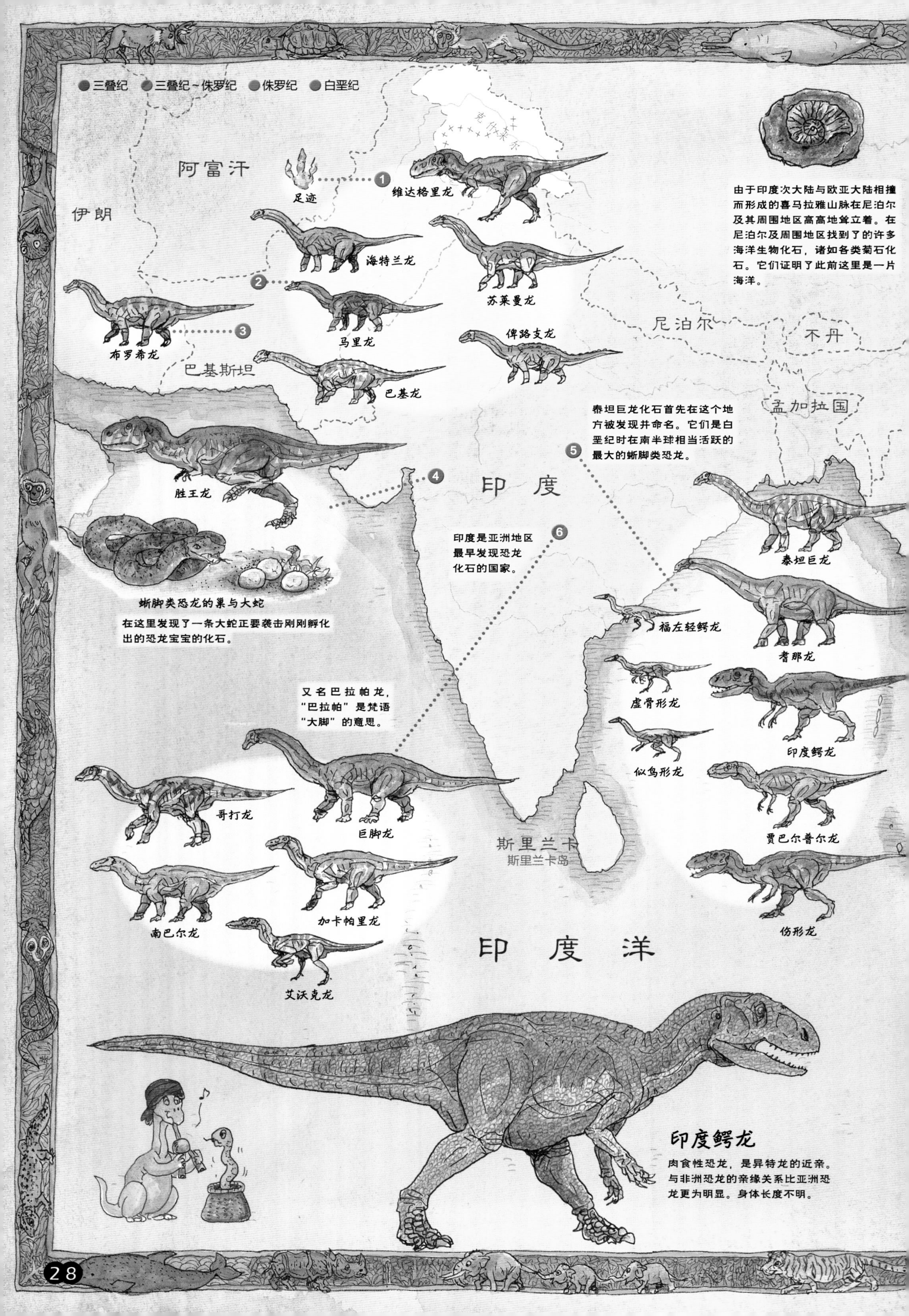
三叠纪
三叠纪~侏罗纪
侏罗纪
白垩纪
阿富汗
伊朗
克什米尔
足迹
1 维达格里龙
海特兰龙
苏莱曼龙
2 马里龙
3 布罗希龙
俾路支龙
巴基斯坦
巴基龙
尼泊尔
不丹
孟加拉国
由于印度次大陆与欧亚大陆相撞而形成的喜马拉雅山脉在尼泊尔及其周围地区高高地耸立着。在尼泊尔及周围地区找到了的许多海洋生物化石，诸如各类菊石化石。它们证明了此前这里是一片海洋。
泰坦巨龙化石首先在这个地方被发现并命名。它们是白垩纪时在南半球相当活跃的最大的蜥脚类恐龙。
5
胜王龙
4
印度
6
印度是亚洲地区最早发现恐龙化石的国家。
泰坦巨龙
福左轻鳄龙
耆那龙
蜥脚类恐龙的巢与大蛇
在这里发现了一条大蛇正要袭击刚刚孵化出的恐龙宝宝的化石。
虚骨形龙
印度鳄龙
似鸟形龙
又名巴拉帕龙，“巴拉帕”是梵语“大脚”的意思。
哥打龙
巨脚龙
贾巴尔普尔龙
斯里兰卡
斯里兰卡岛
南巴尔龙
加卡帕里龙
伪形龙
艾沃克龙
印度洋
印度鳄龙
肉食性恐龙，是异特龙的近亲。与非洲恐龙的亲缘关系比亚洲恐龙更为明显。身体长度不明。

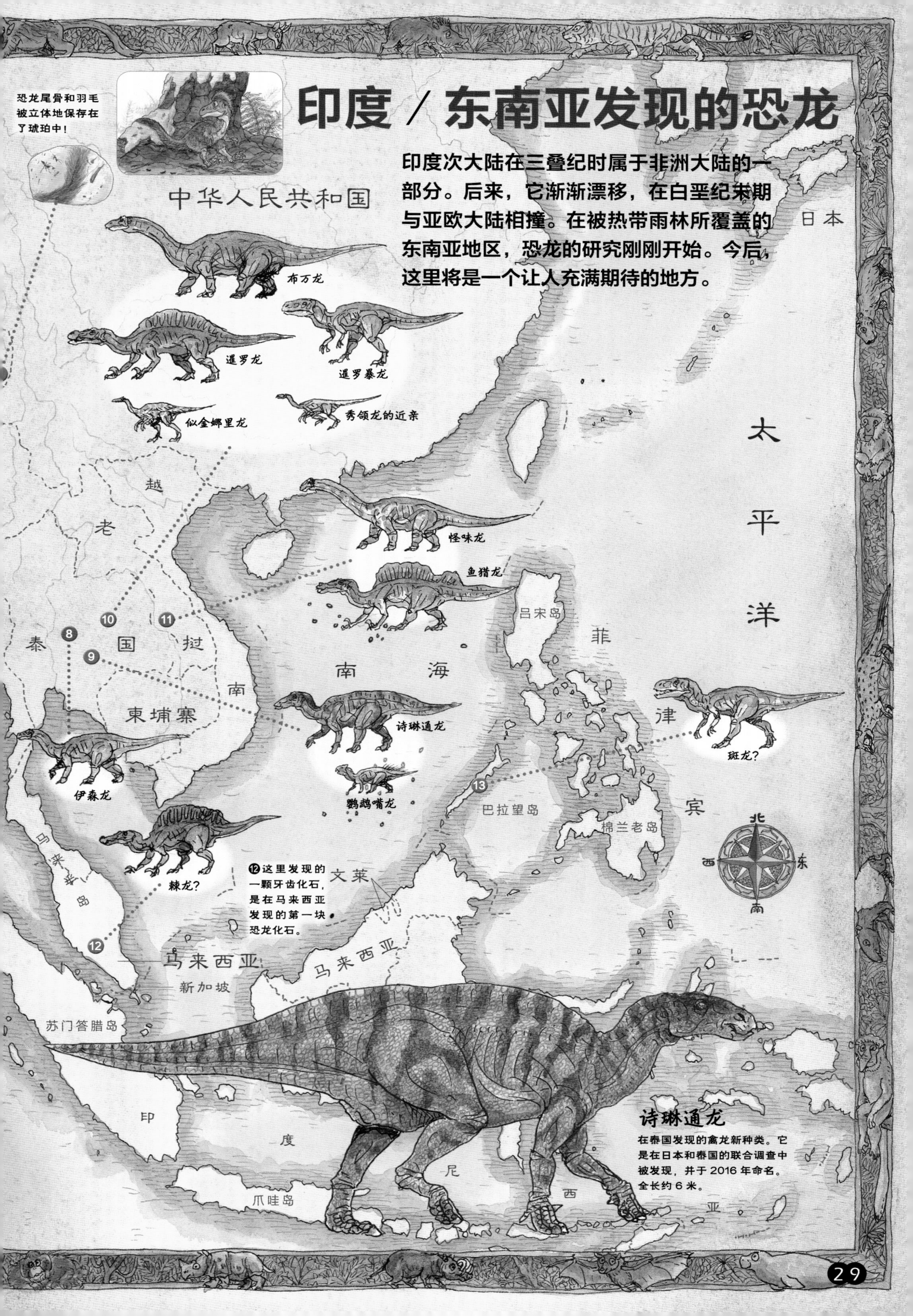
印度／东南亚发现的恐龙
印度次大陆在三叠纪时属于非洲大陆的一部分。后来，它渐渐漂移，在白垩纪末期与亚欧大陆相撞。在被热带雨林所覆盖的东南亚地区，恐龙的研究刚刚开始。今后，这里将是一个让人充满期待的地方。
恐龙尾骨和羽毛被立体地保存在了琥珀中！
中华人民共和国
日本
布万龙
暹罗龙
暹罗暴龙
似金娜里龙
秀颌龙的近亲
太平洋
越
老
泰
国
挝
南
柬埔寨
怪味龙
鱼猎龙
吕宋岛
菲
律
宾
南海
诗琳通龙
鹦鹉嘴龙
斑龙？
伊森龙
巴拉望岛
棉兰老岛
北
西
东
南
马来半岛
棘龙？
⑫这里发现的一颗牙齿化石，是在马来西亚发现的第一块恐龙化石。
文莱
马来西亚
马来西亚
新加坡
苏门答腊岛
印度尼西亚
爪哇岛
诗琳通龙
在泰国发现的禽龙新种类。它是在日本和泰国的联合调查中被发现，并于2016年命名。全长约6米。

东亚发现的恐龙

东亚留存有很多中生代的地层，因此，我们可以很清楚地了解到各个时期恐龙的进化。不少地方发现了不同种类的成群的恐龙化石，这些地方有的还被原封不动地建成了博物馆。近年来，带羽毛的恐龙化石不断被发现，因此这里也受到世界各国研究者的关注。

永川龙

与异特龙类似的肉食性恐龙。在进化过程中，许多肉食性恐龙都以植食性恐龙作为它们的猎食目标。全长约 10.5 米。

山东龙

在中国发现的体型最大的鸭嘴龙类。全长约 15 米。

沱江龙

从东亚侏罗纪的地层中发现了包括沱江龙在内的许多种类的剑龙化石，从中可以清晰地了解到剑龙在亚洲的进化。全长约 7 米。

中华龙鸟

小而活跃的肉食性恐龙。以蜥蜴和雏鸟为食，也会吃其他恐龙的蛋。全长约 1.3 米。

●侏罗纪 ●白垩纪

辽宁省北票市，是世界第一次发现长羽毛的恐龙的地方。
羽暴龙
切齿龙
中国鸟龙
中华丽羽龙
北
西
东
南
中华龙鸟
帝龙
华夏颌龙
寐龙
中国猎龙
北票龙
原始祖鸟
天宇龙
热河鸟（鸟类）
卡戎龙
萨哈林岛（库页岛）
克氏龙
29
曙光鸟
在中国 3 ~ 4 世纪的书籍中，出现了关于“龙骨”的记载，它被认为有可能就是恐龙骨骼化石。
中国羽龙
晓廷龙（鸟类）
近鸟龙
辽宁角龙
红山龙
朝阳龙
长春龙
耀龙
8
28
天宇盗龙
小盗龙
足羽龙
26
查干诺尔龙
24
23
27
锦州龙
尾羽龙
9
25
鹦鹉嘴龙
22
太
奇翼龙
30
丹波龙
盗王龙
前鸟（鸟类）
朝鲜
平
朝鲜角龙
31
日本
山东龙
韩国
32
蜥脚类恐龙
足迹
21
20
3637
白峰龙
洋
亚洲最大的恐龙
19
33
青岛龙
34
35
15
鹦鹉嘴龙
福井巨龙
福井盗龙
汝阳龙
恐龙的巢
盘足龙
永川龙
釜庆龙
福井猎龙
18
皖南龙
朝鲜龙
兽脚类恐龙
高志龙
福井龙
重庆龙
恐龙的蛋和巢
17
马门溪龙
浙江龙
马门溪龙
以脖子长为特征的蜥脚类恐龙。一般认为通过这么长的脖子，把吃到的植物送到胃里，或是把空气吸入到肺中都是很困难的。全长约 26 米。
17000 颗恐龙蛋化石，在酒店入口道路的施工中被发现。
16
南雄龙
恐龙蛋
中华人民共和国
东沙群岛
西沙群岛
中沙群岛
黄岩岛
南沙群岛
曾母暗沙
南海诸岛
南海

诞生于亚洲的暴龙

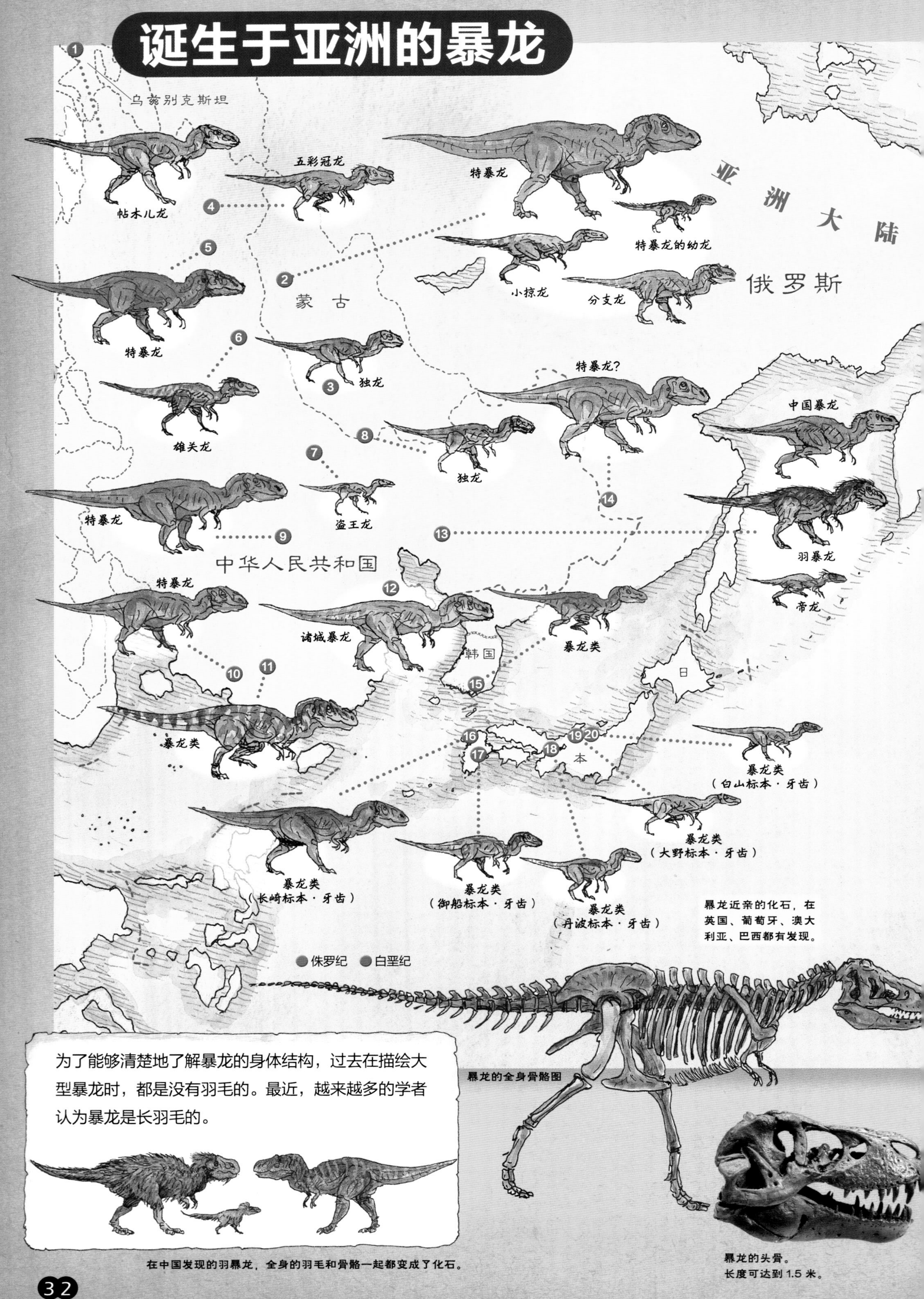

为了能够清楚地了解暴龙的身体结构，过去在描绘大型暴龙时，都是没有羽毛的。最近，越来越多的学者认为暴龙是长羽毛的。

暴龙的全身骨骼图

在中国发现的羽暴龙，全身的羽毛和骨骼一起都变成了化石。

暴龙的头骨。
长度可达到 1.5 米。

暴龙活跃在北美大陆白垩纪的末期，是最大的肉食性恐龙。然而，如果向上追溯就会发现，这些庞然大物的祖先是生活在亚洲大陆上的小型肉食性恐龙。在白垩纪时，亚洲大陆和北美大陆相连，暴龙的祖先、鸭嘴龙类、角龙类和甲龙类等恐龙活跃在这两块大陆上，最强大的暴龙就是在这时诞生的。

资料来源：戴维·霍恩：《暴龙纪事》，布卢姆斯伯出版社，2016 年

世界化石发掘故事

正如你在本书中所看到的那样，现在在世界各地都可以找到恐龙、古生物和植物的化石。但是在开始的时候，人们并不知道化石是来自那些已经灭绝了的动物或植物。那么，在没有意识到所发现的化石是来自很久以前的大型动物之前，人们是怎么想的呢？

新石器时代发现的巨型猛犸象化石，成了独眼巨人传说的来源。

独眼巨人？传说中的动物？

在欧洲，人们认为发现的猛犸象头骨化石是体型很大的独眼巨人的骨头，头骨中央的大鼻孔像是巨人的眼窝。美洲印第安人认为露出地面的三角龙化石是传说中的巨型水牛的骨骼。在中国，大多数化石被认为是龙骨，并把它们当作中药材。在日本，经常被发现的鲨鱼牙齿化石被当作天狗的爪子供奉给神社。

19 世纪发现的三角龙的化石被与印第安人关于巨型白水牛的传说联系在了一起。

“恐龙”的诞生

19 世纪，对于化石的研究在欧洲蓬勃发展起来，大量的菊石和贝类化石被发现。当明白了“化石是很久以前的生物埋在地下变成石头后所残留下来的东西”后，很多人加入到了寻找稀有化石的行列中，同时也开始对它们进行研究。在欧洲发现了鱼龙和沧龙等远古动物的全身骨骼化石，甚至连国家都加入到了对它们所有权的竞争中。

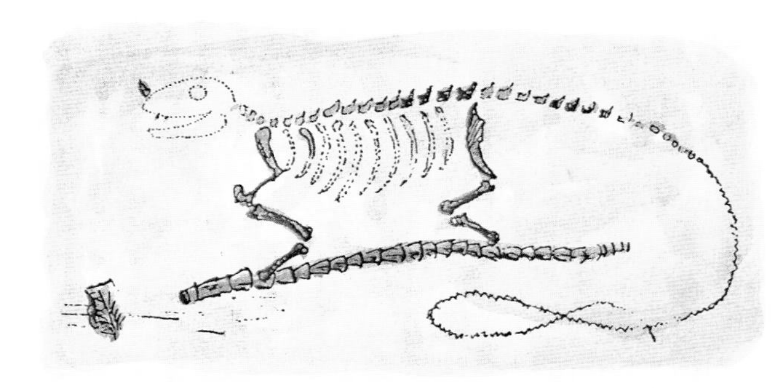

禽龙最初的复原图。

在这种形势下，英国皇家学会在 1841 年宣布了斑龙和禽龙应当属于被称作“恐龙”的这一古生物新类别，进而掀起了一轮很大的恐龙热潮。当时因为还没有出现动物进化的思想，所以这些骨骼化石被认为是来自在《圣经》中所记载的大洪水来临时，那些无法登上挪亚方舟的动物。因为《圣经》上有全部生物是神创造的说法，因此，当 1859 年达尔文在英国出版了《物种起源》一书后，引起了轩然大波。

按照禽龙的实际大小为伦敦世博会制作的复原模型。

事实上，即使在今天，也有人相信恐龙等动物不是逐渐进化而来的，而是在很久很久以前由神创造的。

发现时所画的梁龙的复原图。

明星恐龙一个接一个地被发现！

19 世纪的恐龙挖掘热转移到了美国。在美国西部，中生代地层外露的落基山脉地区，展开了恐龙挖掘热潮。马什和寇普这两名古生物学家，为了命名更多的恐龙物种，展开了一场激烈竞赛。雷龙、剑龙、异特龙、三角龙等成为了美国的大明星。那个时候的美国西部，骑兵队和印第安人的战斗时常发生，持枪歹徒也经常在这里出没。

到了 20 世纪，恐龙化石的挖掘热潮仍在持续，地球生命史上最强大的动物——暴龙的发现，使它出现了一个大高潮。

从发现之初，暴龙就成为了恐龙中的王者。

发展到亚洲和非洲的恐龙发掘热潮

在美国的恐龙发掘告一段落的时候，美国人安德鲁斯想到了组织探险队去中国和蒙古考察。在第二次世界大战开始之前，他们进行了许多次考察，并在戈壁沙漠中发现了许多恐龙化石，如原角龙和窃蛋龙。尤其是首次在一个巢中发现了恐龙蛋化石，人们因此得知恐龙是卵生动物。

在戈壁沙漠的探险中，恐龙蛋化石第一次被发现。

几乎在同时，在当时是德国殖民地的东非（现在的坦桑尼亚），德国考察队发现了钉状龙和大量腕龙（现在更名为长颈巨龙）的化石，并把它们带回到了德国。靠近埃及边境发现的棘龙化石被带到柏林后，在第二次世界大战期间，它在空袭中被炸毁了。

从非洲运送到柏林的棘龙化石，在第二次世界大战的空袭中被炸毁了。

第二次世界大战结束后，苏联（现在的俄罗斯）和波兰的考察队进入了戈壁沙漠，重新发掘了安德鲁斯的调查地，他们通过使用重型机械和炸药这种粗放式的挖掘，发现了特暴龙等恐龙化石。在中国，低调的挖掘工作也在持续进行，相关成果基本上没有在国际上公布。

不过，在 1986 年，中国和加拿大开始了共同参与的发掘调查项目，科考队在戈壁沙漠相继有了新发现。此外，世界上体型最大的鸭嘴龙、脖子最长的马门溪龙等中国恐龙的信息也开始为全世界所知。

在中国，三叠纪、侏罗纪、白垩纪的地层保存得非常好，这对剑龙和蜥脚类恐龙进化史的研究非常有利。另外，在中国还发现了几个同一时代里生活在一起的几十只恐龙留下的化石遗迹（骨床），有一些这样的化石你可以在博物馆里直接看到。最近，许多带羽毛的小型恐龙化石和鸟类化石在中国东部一起被发现，这为恐龙的进化研究和样貌复原提供了新证据。羽毛在鸟臀类恐龙和蜥臀类恐龙的化石上也有被发现，所以有学者认为早期的恐龙就已经长羽毛了。如果恐龙真的长有羽毛的话，根据羽毛的不同，恐龙的身体颜色和花纹也会有许多变化，同时它们与鸟类之间的进化关系也非常值得被关注。

以前，中国的恐龙研究工作，在国际上并不为人所知。

在美国发现的恐爪龙，它们被认为是以集体的方式狩猎的。

在中国和加拿大的联合科考中，窃蛋龙是在孵卵变得不言而喻。

被重新描绘的恐龙形象

20 世纪后半期，在中国相继有了一些恐龙新发现的同时，美国大规模的恐龙发掘热潮也告一段落了，而旨在研究恐龙生活方式的专业性发掘相继开始。研究中，随着以集体方式捕食植食性恐龙的小型恐爪龙化石和认为会以群体的方式筑巢、产卵，并将食物带给孩子的慈母龙化石的被发现，改变了之前人们对恐龙“只不过是体型巨大，行动缓慢的爬行动物。”的印象。

“恐龙是一种好动的温血动物！”的理论被公布后，根据这个理论拍摄的电影《侏罗纪公园》上映了，恐龙的形象一下子被改变。暴龙的形象从拖着尾巴、像“哥斯拉”那样直立着行走，变成了尾巴抬起，身体水平，两条腿

被复原的暴龙形象，也随着时代的变化而改变。

可以快速奔跑的样子。也就是说，恐龙并不是像现在的爬行动物一样的冷血动物，而是应该像鸟一样活跃的温血动物。

现在最新的观点是，鸟类是由长羽毛的恐龙进化而来，也就是说鸟类是幸存下来的恐龙。

寻找恐龙化石的挑战，今天仍在世界各地持续进行。在南美洲、非洲、南极洲和澳大利亚大陆等尚未进行调查的地方，调查工作也开始进行。新的发现，以及与之相关的新的恐龙形象和学说在今后也会陆续出现。

如果鸟类是幸存下来的恐龙，那么恐龙是怎么变成鸟的？

在日本也有发现！

过去，认为在日本只能找到菊石和海生爬行动物的化石，而不会发现恐龙化石。话虽如此，但在岩手县等地有时还是会发现一些推测为可能是恐龙的不完整的骨骼化石。在石川县和熊本县发现的完整的恐龙牙齿化石，分别是由小学生和中学生发现的。20 世纪 80 年代，日本首次发现可以进行科学研究的恐龙化石，不久之后，由博物馆等机构组织的大规模调查开始进行。

石川县恐龙牙齿化石的发现成为了契机，在邻近的福井县胜山市开始的一项调查中，通过多年来对地层详细地调查，结果显示在这里可以发现大量恐龙化石。类似的大规模调查也在石川县、熊本县、兵库县、北海道等地开始进行。在福井县和石川县发现的恐龙现在已经有了正式的学名。

日本在试着发掘后，也发现了恐龙化石。

恐龙是怎样的动物？在环境的变化中它们是怎样进化的呢？恐龙为什么灭绝了呢？了解世界各地发现的恐龙化石并对它们进行对比研究，说不定会找到答案哦！

随着研究工作的进展，在日本发现的恐龙也开始有了学名。

恐龙化石从发现到展示的过程

发现

在中生代的陆地地层中，无论在哪都有找到恐龙化石的可能。

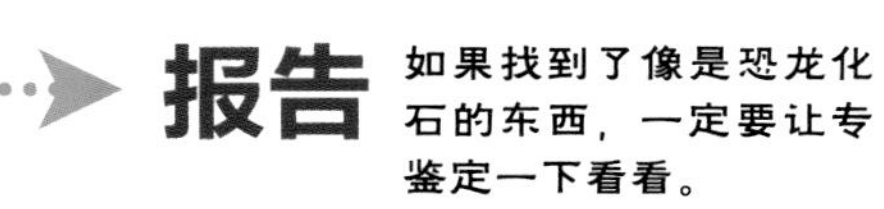

报告

如果找到了像是恐龙化石的东西，一定要让专家鉴定一下看看。

调查

一旦确认是珍贵的恐龙化石，专家就会展开调查。

发掘

如果判定能发现很多化石，那么正式的调查发掘工作将全面展开。

清理

发现的化石将被带回博物馆，然后将它们从母岩中取出来。

研究

将清理后的化石，与世界各地相关的论文和标本进行比对，然后确定它们的学名。

展示

确定了是哪种恐龙，在进行全身骨骼复原后，就可以放在博物馆里展示了。

恐龙的分类

【蜥脚类】

包括原蜥脚类和蜥脚类在内的蜥臀类恐龙。世界上那些最大的恐龙都属于这一类。属于植食性恐龙。

梁龙

【兽脚类】

包括大型的暴龙和小型的虚骨龙类在内的两足行走的蜥臀类恐龙。属于肉食性恐龙。鸟类就是从这一类恐龙中进化而来的。

暴龙

驰龙

【覆盾甲龙类】

包括剑龙类和甲龙类在内的背上装甲发达的鸟臀类恐龙。属于植食性恐龙。

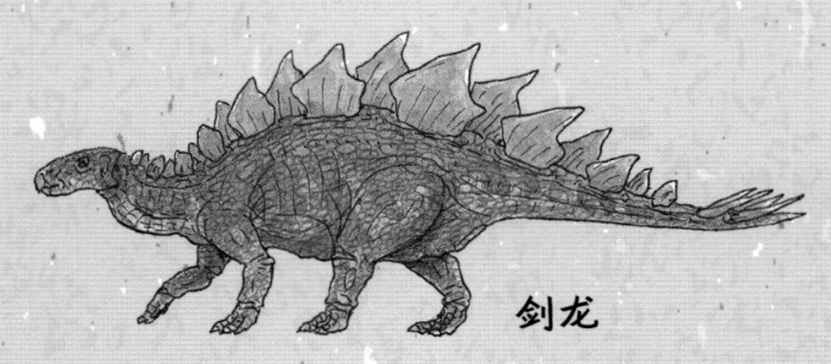

剑龙

甲龙

【头饰龙类】

包括厚头龙类和角龙类在内的头周围有复杂装饰的鸟臀类恐龙。属于植食性恐龙。

三角龙

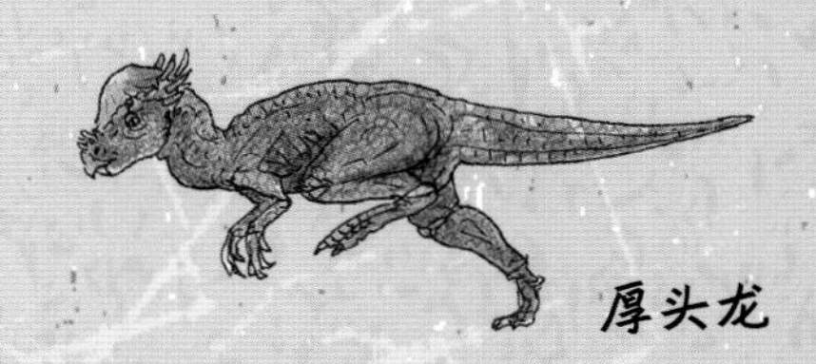

厚头龙

【鸟脚类】

包括禽龙类、鸭嘴龙类和小型的棱齿龙类在内的鸟臀类恐龙。属于植食性恐龙。

禽龙

幅栉龙

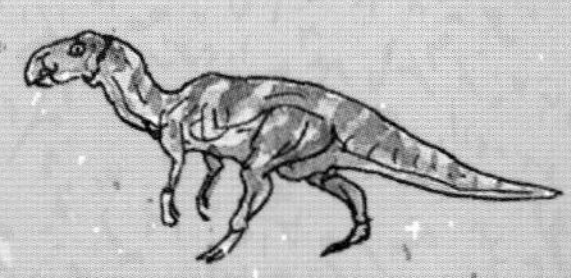

阿特拉斯科普柯龙

※ 蛇颈龙类、翼龙类、鱼龙类、沧龙类、鳄类、蜥蜴类等，分属于与恐龙不同的另外的种类。

※ 根据骨盆的形状，古生物学家将恐龙分为蜥臀类和鸟臀类两大类。最近，也有一些观点认为，作为蜥臀类中的兽脚类恐龙，与同类的恐龙相比较其实更接近于鸟臀类。

本书中所出现的恐龙

中文名（属名）	分类	体长	时代	页码
A				
阿贝力龙	兽脚类／阿贝力龙科	11m?	●	19
阿尔哥龙	蜥脚类／原始的真蜥脚类	9m?	●●	13
阿尔哈拉路龙	鸟脚类／鸭嘴龙类	不明	●	25
阿根廷龙	蜥脚类／南极龙科	36m?	●	19
阿克西鸟	鸟类	14m	●	14
阿拉摩龙	蜥脚类／南极龙科	30m?	●	14
阿拉善龙	鸟脚类／镰刀龙科	3.8m	●	27,30
阿拉斯加头龙	头饰龙类／厚头龙科	2m	●	16,22
阿马加龙	蜥脚类／叉龙科	12m	●	19
阿米特头龙	头饰龙类／厚头龙科	1m	●	27
阿穆尔龙	鸟脚类／赖氏龙科	6m	●	25
阿斯坦龙	鸟脚类／鸭嘴龙科？	1m	●	24
阿塔卡马巨龙	蜥脚类／泰坦巨龙类	8~10 m	●	19
阿特拉斯科普柯龙	鸟脚类／棱齿龙科	2 m	●	20,39
阿瓦拉慈龙	兽脚类／阿瓦拉慈龙科	1.4m?	●	19
埃德蒙顿甲龙	覆盾甲龙类／结节龙科	7m	●	14,17
埃德蒙顿龙	鸟脚类／鸭嘴龙科	12m	●	14,16,17
埃及龙	蜥脚类／纳摩盖吐龙科	16m	●	13
埃雷拉龙	兽脚类／埃雷拉龙科	4m	●	9,19
矮暴龙	兽脚类／暴龙科	6m	●	15
矮脚角龙	头饰龙类／原角龙科	2m	●	26
艾伯塔龙	兽脚类／暴龙科	9m	●	14,17, 33
艾尔雷兹龙	鸟脚类／橡树龙类	2.5~4.5m?	●	12
艾沃克龙	兽脚类／原始的蜥臀类	50cm?	●	28
安德萨角龙	头饰龙类／纤角龙科	4.5m	●	27
安第斯龙	蜥脚类／安第斯龙科	18m	●	19
安哥拉巨龙	蜥脚类／泰坦巨龙形类	不明	●	13
凹齿龙	鸟脚类／凹齿龙科	2~3m?	●	8,9
奥伊考角龙	头饰龙类／弱角龙科	1m	●	9
澳洲盗龙	兽脚类／阿贝力龙类	7m	●	20
B				
巴哈利亚龙	兽脚类／角鼻龙类	8m?	●	12,13
巴基龙	蜥脚类／泰坦巨龙类	6~10m	●	28
巴克龙	鸟脚类／鸭嘴龙超科	6m	●	24,30
巴塔哥尼亚龙	蜥脚类／鲸龙科	15m	●	19
巴塔哥尼亚爪龙	兽脚类／阿瓦拉慈龙科	1.7m	●	19
白峰龙	新鸟臀类／角足龙类	1.7m	●	31
白山龙	覆盾甲龙类／甲龙科	7m	●	27
白熊龙	兽脚类／暴龙类	6m	●	16,22,33
柏柏尔龙	兽脚类／角鼻龙类	6.2m	●	12
斑比盗龙	兽脚类／驰龙科	1.3m?	●	14
斑龙	兽脚类／斑龙科	9m	●	8,11,29,34
板龙	蜥脚类／板龙科	8m	●	8,22
半鸟	兽脚类／驰龙科	2.3m	●	18
棒爪龙	兽脚类／虚骨龙类	45cm	●	9
包鲁巨龙	蜥脚类／泰坦巨龙类	24m	●	18
包头龙	覆盾甲龙类／甲龙科	7m	●	14,17
暴龙	兽脚类／暴龙科	12.5m	●	14,15,16,17,32,33,35,36,39
北票龙	兽脚类／镰刀龙科	2m	●	31
北山龙	兽脚类／似鸟龙类	7m 以上	●	30
贝里肯龙	蜥脚类／贝里肯龙科	5m 以上	●	13
奔山龙	鸟脚类／棱齿龙科	2.5m	●	17
比霍尔龙	鸟脚类／湾龙类	不明	●	9
比赛特甲龙	覆盾甲龙类／不明	不明	●	24
彼得休斯角龙	头饰龙类／角龙科	5m	●	17
俾路支龙	蜥脚类／泰坦巨龙类	不明	●	28
彪鳄龙	兽脚类／阿贝力龙类	11m?	●	8
扁鳍鱼龙？	鱼龙类	7m	●	21,24
冰河龙	蜥脚类／原始的蜥脚类	6.2m?	●	23
冰脊龙	兽脚类／双脊龙科	6.5m 以上	●	23
波塞东龙	蜥脚类／腕龙科	30m	●	15
薄片龙	蛇颈龙类	14m	●	21
布罗希龙	蜥脚类／泰坦巨龙类	不明	●	28
布万龙	蜥脚类／不明	25m	●	29
C				
彩蛇龙	兽脚类／原始的手盗龙形类	1.5m?	●	20
沧龙	沧龙类	18m?	●	12,13,21,34
槽齿龙	蜥脚类／槽齿龙科	2m	●	11
草原龙	蜥脚类／泰坦巨龙类	24m?	●	20
叉龙	蜥脚类／叉龙科	14m	●	13
查干诺尔龙	蜥脚类／不明	25m	●	31
查摩西斯龙	鸟脚类／凹齿龙类	2~3m	●	9
长春龙	鸟脚类／不明	1m	●	31
长颈巨龙	蜥脚类／腕龙科	26m	●	13
长生天龙	蜥脚类／盘足龙科？	15m	●	27
超龙	蜥脚类／梁龙科	34m	●	15
朝鲜角龙	头饰龙类／不明	1.3m	●	31
朝鲜龙	鸟脚类／不明	2m?	●	31
朝阳龙	头饰龙类／朝阳龙科	60cm	●	31
潮汐龙	蜥脚类／银龙科	32m	●	13
沉龙	鸟脚类／鸭嘴龙类	9m	●	12
驰龙	兽脚类／驰龙科	1.8m	●	14,15,17
匙龙	鸟脚类／鸭嘴龙类	8m?	●	8
重庆龙	覆盾甲龙类／华阳龙科	3.5m	●	31
川街龙	蜥脚类／马门溪龙科	25m	●	30
慈母龙	鸟脚类／鸭嘴龙科	9m	●	14,36
慈母椎龙	鱼龙类／大眼鱼龙科	2.5m	●	16,22
雌驼龙	兽脚类／窃蛋龙科	1.8m	●	26
D				
达科他盗龙	兽脚类／驰龙科	5.5m	●	15
达斯布雷龙	兽脚类／暴龙科	9m	●	14,17,33
达斯达敏斯龙	蜥脚类／泰坦巨龙类	16m?	●	8
大地龙	鸟臀类／不明	不明	●	30
大椎龙	蜥脚类／大椎龙科	4m	●	13,24
丹波龙	蜥脚类／泰坦巨龙类	15m?	●	31
丹佛龙	覆盾甲龙类／结节龙科	7m	●	14,15
单脊龙	兽脚类／异特龙科	5m	●	30
单爪龙	兽脚类／阿瓦拉慈龙科	90cm	●	26
单足龙	兽脚类／单足龙科	2m?	●	17
盗王龙	兽脚类／暴龙科	3m	●	31,32,33
道罗齿龙	鸟脚类／禽龙类	8m	●	8
迪布勒伊洛龙	兽脚类／斑龙类	9m?	●	8
迪亚曼蒂纳龙	蜥脚类／泰坦巨龙类	18m	●	20
地蜥鳄	鳄类／地蜥鳄科	3m	●	11
地爪龙	蜥脚类／不明	6.5m	●	13
帝龙	兽脚类／暴龙超科	1.5m	●	31,32,33
钉状龙	覆盾甲龙类／剑龙科	5m	●	13,35
东非龙	兽脚类／棘龙类	8~10m	●	13
斗吻角龙	头饰龙类／纤角龙科	1.8m	●	14
独龙	兽脚类／暴龙科	5~6m	●	24,30,32,33
短冠龙	鸟脚类／鸭嘴龙科	8.5m	●	14
短角龙	头饰龙类／角龙科	不明	●	14
短颈潘龙	蜥脚类／叉龙科	10m	●	19
盾龙	覆盾甲龙类／甲龙科	2m	●	20,21
多刺甲龙	覆盾甲龙类／结节龙科	4m	●	11,24
E				
峨眉龙	蜥脚类／马门溪龙科	11~15m	●	30
恶龙	兽脚类／西北阿根廷龙科	1.5m	●	13
鳄龙	兽脚类／棘龙科	10m	●	8
F				
法布尔龙	鸟臀类／原始的鸟臀类	1m?	●	13
非凡龙	蜥脚类／纳摩盖吐龙科	23m	●	27
非洲猎龙	兽脚类／斑龙科	7.5m	●	12
费尔干纳龙	蜥脚类／大鼻龙类？	14m	●	24
费尔干纳头龙	新鸟臀类／原始的新鸟臀类	不明	●	24
分支龙	兽脚类／暴龙科	6m	●	32,33
风神翼龙	翼龙类／翼手龙类	10~11m	●	14
弗克海姆龙	蜥脚类／真蜥脚类	3m	●	19
扶绥龙	蜥脚类／泰坦巨龙形类	30m	●	30
福井盗龙	兽脚类／新猎龙科	4.2m	●	31
福井巨龙	蜥脚类／泰坦巨龙形类	10m?	●	31
福井猎龙	兽脚类／虚骨龙类	2.3m	●	31
福井龙	鸟脚类／禽龙科	5m	●	31
福左轻鳄龙	兽脚类／西北阿根廷龙类	2m	●	28
釜庆龙	蜥脚类／泰坦巨龙类	不明	●	31
副栉龙	鸟脚类／鸭嘴龙科	10m	●	14,15,17,39
G				
冈瓦纳巨龙	蜥脚类／泰坦巨龙类	7m?	●	18

细体字为恐龙以外的生物
翼龙的体长为翼展的长度
时代：● 三叠纪 ● 侏罗纪 ● 白垩纪

中文名（属名）	分类	体长	时代	页码
高棘龙	兽脚类／鲨齿龙科	12m	●	15
高龙	蜥脚类／不明	15m	●	8
高志龙	鸟脚类／鸭嘴龙类	3m 以上	●	31
戈壁猎龙	兽脚类／伤齿龙类	1.7m	●	26
戈壁龙	覆盾甲龙类／甲龙科	5m	●	30
哥打龙	蜥脚类／不明	9m	●	28
哥斯拉龙	兽脚类／腔骨龙科	5.5m 以上	●	14
格里芬龙	鸟脚类／鸭嘴龙科	8.5m	●	17
格西龙	兽脚类／虚骨龙类	不明	●	30
孤独小盗龙	兽脚类／阿贝力龙超科	4.2~5.6m	●	13
古齿龙	蜥脚类／原始的蜥脚类	不明	●	13
古角龙	头饰龙类／不明	1.5m	●	30
古巨龟	龟类	4m	●	15
古林达奔龙	新鸟臀类／不明	1.5m	●	24,25
古魔翼龙	翼龙类／翼手龙类	4.5m	●	18
古神翼龙	翼龙类／翼手龙类	1.5m	●	18
古似鸟龙	兽脚类／似鸟龙科	3.5m	●	30
古鸭龙	鸟脚类／鸭嘴龙科	6m	●	14
古植食龙	鸟脚类／鸭嘴龙科	9m	●	16,22
瓜巴龙	蜥脚类／瓜巴龙科	2m	●	19
怪味龙	蜥脚类／泰坦巨龙类	15m	●	29
怪嘴龙	覆盾甲龙类／结节龙科	3m	●	15
冠椎龙	兽脚类／腔骨龙类	3m	●	8
H				
哈卡斯龙	兽脚类／原角鼻龙科	3m	●	24
哈萨克赖氏龙	鸟脚类／鸭嘴龙科	不明	●	24
海特兰龙	蜥脚类／泰坦巨龙类	不明	●	28
海王龙	沧龙类	15m?	●	14,21
汉斯塔塔乌纳龙	蜥脚类／雷巴齐斯龙类	14m?	●	12
合踝龙	兽脚类／腔骨龙科	2~2.5m	●	13
河神龙	头饰龙类／角龙科	6m	●	14
黑丘龙	蜥脚类／黑丘龙科	8m	●	13
红山龙	头饰龙类／鹦鹉嘴龙科	1.2m	●	31
后凹尾龙	蜥脚类／南极龙科	14m	●	26
厚鼻龙	头饰龙类／角龙科	8m	●	16,17,22
厚甲龙	覆盾甲龙类／结节龙类	1.5~2m	●	9
厚头龙	头饰龙类／厚头龙科	7m	●	15,39
华夏颌龙	兽脚类／美颌龙科	1.8m	●	31
华阳龙	覆盾甲龙类／华阳龙科	4.5m	●	30
幻龙	幻龙类	4m	●	8
黄昏鸟	鸟类／黄昏鸟科	1.5m	●	17,22
绘龙	覆盾甲龙类／甲龙科	5m	●	26,27,30
喙嘴翼龙	翼龙类／喙嘴龙类	1.5m	●	9
火山齿龙	蜥脚类／火山齿龙类	6.5m	●	13
J				
畸齿龙	鸟臀类／畸齿龙科	1m	●	13
激龙	兽脚类／棘龙科	8m?	●	18
棘刺龙	蜥脚类／不明	13m	●	12
棘龙	兽脚类／棘龙科	16m	●	12,13,29,35
脊饰龙	兽脚类／棘龙类	10m	●	12
戟龙	头饰龙类／角龙科	5.5m	●	17
加尔瓦龙	蜥脚类／图里亚龙类	14m	●●	8
加卡帕里龙	蜥脚类／板龙类	不明	●	28
加斯顿龙	覆盾甲龙类／结节龙科	6m	●	14
加斯帕里尼龙	鸟脚类／棱齿龙科	65cm?	●	19
嘉陵龙	覆盾甲龙类／剑龙科	4m	●	30
甲龙	覆盾甲龙类／甲龙科	5.5~10m	●	14,15,16,17,39
贾巴尔普尔龙	兽脚类／原始的角鼻龙类	不明	●	28
尖角龙	头饰龙类／角龙科	6m	●	17
简手龙	兽脚类／阿瓦拉慈龙超科	2m	●	30
剑角龙	头饰龙类／厚头龙科	2m	●	17
剑龙	覆盾甲龙类／剑龙科	9m	●	8,14,15,24,35,39
腱龙	鸟脚类／禽龙类	7~8m	●	15
将军龙	覆盾甲龙类／剑龙科	不明	●	30
角鼻龙	兽脚类／角鼻龙科	6m	●	8,13,14
结节龙	鸟臀类／结节龙科	6m	●	24
锦州龙	鸟脚类／鸭嘴龙超科	7m	●	31
近颌龙	兽脚类／窃蛋龙类	1m?	●	24
近鸟龙	兽脚类／始祖鸟科	35cm	●	31
近蜥龙	蜥脚类／近蜥龙科	2.4m	●	15,17
鲸龙	蜥脚类／鲸龙科	14m	●	11,12
巨板龙	蛇颈龙类／上龙类	4.5m	●	11
巨保罗龙	鸟脚类／赖氏龙类	12.5m	●	14
巨刺龙	覆盾甲龙类／剑龙科	5.7m	●	30
巨盗龙	兽脚类／窃蛋龙科	8.5m	●	30
巨脚龙	蜥脚类／鲸龙科	18m	●	28
K				
卡龙加龙	蜥脚类／泰坦巨龙类	不明	●	13
卡戎龙	鸟脚类／副栉龙类	10m	●	31
开角龙	头饰龙类／角龙科	7m	●	17
凯瓦翼龙	翼龙类／翼手龙类	0.65~2.35m	●	18
康纳龙	鸟脚类／原始的鸟脚类	不明	●	13
科阿韦拉角龙	头饰龙类／角龙科	8m	●	14
克贝洛斯龙	鸟脚类／栉龙类	8m?	●	25
克拉美丽龙	蜥脚类／原始的蜥脚类	17m	●	30
克柔龙	蛇颈龙类／上龙类	9~10m	●	18,20
克氏龙	覆盾甲龙类／甲龙科？	5m	●	31
恐鳄	鳄类	12m	●	14
恐手龙	兽脚类／恐手龙科	12m?	●	26
恐爪龙	兽脚类／驰龙科	4m	●	15,36
快达龙	鸟脚类／原始的鸟脚类	1.4m?	●	21
宽鼻龙	鸟脚类／鸭嘴龙类	不明	●	14
盔龙	鸟脚类／鸭嘴龙科	9m	●	17
昆杜尔龙	鸟脚类／鸭嘴龙类	6~7m?	●	25
昆卡猎龙	兽脚类／鲨齿龙科	6m	●	8
L				
拉伯龙	蜥脚类／巨龙形类	15m	●	13
拉金塔龙	鸟臀类／不明	1m	●	18
拉帕盗龙	兽脚类／阿瓦拉慈龙类	9m?	●	21
拉普拉塔龙	蜥脚类／泰坦巨龙类	18m	●	19
莱索托龙	覆盾甲龙类／莱索托龙科	1m	●	13
莱托氏橡树龙	鸟脚类／橡树龙类	1~2m?	●	13
赖氏龙	鸟脚类／赖氏龙科	9m	●	17
兰州龙	鸟脚类／禽龙类	10m	●	30
懒爪龙	兽脚类／镰刀龙科	6m	●	14
狼嘴龙	鸟臀类／畸齿龙科	1.2m	●	13
勒苏维斯龙	覆盾甲龙类／剑龙科	5m	●	8,11
雷巴齐斯龙	蜥脚类／雷巴齐斯龙科	20m	●	12
雷利诺龙	鸟脚类／棱齿龙科	90cm	●	20
雷龙	鸟脚类／梁龙科	21~26m	●	15,35
雷前龙	蜥脚类／原始蜥脚类恐龙	12m	●	13
雷神翼龙	翼龙类／翼手龙类	3.5m	●	18
棱背龙	覆盾甲龙类／棱背龙科	4cm	●	11,14
棱齿龙	鸟脚类／棱齿龙科	1.8m	●	11
黎明角龙	头饰龙类／不明	1.5m?	●	30
里奥哈龙	蜥脚类／里奥哈龙科	10m	●	19
理理恩龙	兽脚类／腔骨龙科	5m	●	8
镰刀龙	兽脚类／镰刀龙科	9.5m	●	26
梁龙	蜥脚类／梁龙类	30m	●	14,15,35,39
辽宁角龙	头饰龙类／角龙类	1m	●	31
列弗尼斯氏龙	鸟脚类／鸭嘴龙类	2m	●	24
林龙	覆盾甲龙类／结节龙科	5m	●	11
临河盗龙	兽脚类／驰龙科	1.8m	●	30
临河爪龙	兽脚类／阿瓦拉慈龙科	60cm	●	30
伶盗龙	兽脚类／驰龙科	1.8m	●	27,30
灵龙	鸟脚类／不明	1.7m	●	30
菱龙	蛇颈龙类／上龙类	7m	●	10,11
龙猎龙	兽脚类／双脊龙类	6m	●	13
龙王龙	头饰龙类／厚头龙科	2.5m	●	15
露丝娜龙	蜥脚类／图里亚龙类	18m	●●	8
卢雷亚楼龙	兽脚类／肉食龙类	5m	●	8
鲁夸巨龙	蜥脚类／泰坦巨龙类	9m	●	13
禄丰龙	蜥脚类／大椎龙科	6m	●	30
掠海翼龙	翼龙类／翼手龙类	4.5m	●	18
掠食龙	蜥脚类／纳摩盖吐龙科	15m	●	13
M				
马拉维龙	蜥脚类／纳摩盖吐龙科	12m	●	13
马里龙	蜥脚类／泰坦巨龙类	不明	●	28
马门溪龙	蜥脚类／马门溪龙科	26m	●	30,31,36
马萨卡利神龙	蜥脚类／泰坦巨龙类	20m	●	18

▼中文名（属名）	▼分类	体长▼	▼时代	页码▼
马扎尔龙	蜥脚类／纳摩盖吐龙科	5.3m	●	9
玛君龙	兽脚类／阿贝力龙科	9m	●	12,13
蛮龙	兽脚类／斑龙科	12m?	●	8,14
满洲龙	鸟脚类／鸭嘴龙科	不明	●	25
曼特尔龙	鸟脚类／禽龙科？	7m	●	11
慢龙	兽脚类／镰刀龙科	7m	●	26,27
芒康龙	覆盾甲龙类／剑龙类？	5m	●	30
美甲龙	覆盾甲龙类／甲龙科	7m	●	26
美扭椎龙	兽脚类／斑龙科	7m	●	11
寐龙	兽脚类／伤齿龙科	70cm	●	31
蒙大拿角龙	头饰龙类／纤角龙科	3m	●	14
迷惑龙	蜥脚类／梁龙科	26m	●	15
米拉加亚龙	覆盾甲龙类／剑龙科	6m	●	8
密林龙	兽脚类／阿贝力龙科	9m	●	18
敏迷龙	覆盾甲龙类／甲龙科	2m	●	21
冥河龙	头饰龙类／厚头龙科	3m	●	15
莫阿大学龙	覆盾甲龙类／不明	2m 以上	●	9
莫罗龙	鸟脚类／原始的鸟脚类	不明	●	23
木他布拉龙	鸟脚类／凹齿龙科？	8m	●	21

N

▼中文名（属名）	▼分类	体长▼	▼时代	页码▼
南巴尔龙	蜥脚类／不明	不明	●	28
南方盗龙	兽脚类／驰龙科	6m	●	19
南方巨兽龙	兽脚类／鲨齿龙科	13m	●	19
南方梁龙	蜥脚类／梁龙类	21m?	●	13
南方猎龙	兽脚类／新猎龙科	6m	●	20
南极甲龙	覆盾甲龙类／原始的甲龙类	4m	●	23
南极龙	蜥脚类／泰坦巨龙类	18m	●	19
南巨龙	蜥脚类／泰坦巨龙类	25~28m	●	19
南十字龙	兽脚类／埃雷拉龙科	2m	●	19
南雄龙	兽脚类／镰刀龙科	4.5m	●	31
南翼龙	翼龙类／翼手龙类	2.5m	●	19
尼日尔龙	蜥脚类／雷巴齐斯龙科	10m	●	12
泥潭龙	兽脚类／角鼻龙类	1.7m	●	30
拟鸟龙	兽脚类／拟鸟龙科	1.5m	●	26,27
鸟面龙	兽脚类／阿瓦拉慈龙科	60cm	●	26
牛角龙	头饰龙类／角龙科	9m	●	15
牛头怪甲龙	覆盾甲龙类／甲龙科	5m	●	30
虐龙	兽脚类／暴龙科	9m	●	14,33
诺曼底龙	蜥脚类／泰坦巨龙类	12~18m?	●	8

O

▼中文名（属名）	▼分类	体长▼	▼时代	页码▼
欧罗巴龙	蜥脚类／腕龙科	6m	●	8

P

▼中文名（属名）	▼分类	体长▼	▼时代	页码▼
帕克氏龙	鸟脚类／奇异龙科	2.5m	●	17
帕拉克西龙	蜥脚类／腕龙科	18m	●	14
盘足龙	蜥脚类／盘足龙科	12m	●	31
沛温翼龙	翼龙类／喙嘴龙类	45cm	●	9
皮尔逖龙	兽脚类／角鼻龙类	10~11m	●	8
皮萨诺龙	鸟臀类／皮萨诺龙科	1m	●	19
皮亚尼兹基龙	兽脚类／斑龙类	6m	●	19
平头龙	头饰龙类／厚头龙科	1.8m	●	26
葡萄园龙	蜥脚类／泰坦巨龙类	15m	●	8

Q

▼中文名（属名）	▼分类	体长▼	▼时代	页码▼
七镇鸟龙	兽脚类／阿瓦拉慈龙类	不明	●	9
奇异龙	鸟脚类／奇异龙科	4m	●	17
奇翼龙	兽脚类／擅攀鸟龙科	50cm	●	31
耆那龙	蜥脚类／泰坦巨龙科	12m?	●	28
气龙	兽脚类／中华盗龙科	3.5m	●	30
前鸟	鸟类／不明	不明	●	31
浅隐龙	蛇颈龙类	8m	●	11
腔棘鱼	鱼类		●	13
桥湾龙	蜥脚类／盘足龙科？	12m	●	30
巧合角龙	头饰龙类／原始的新角龙类	不明	●	21
巧龙	蜥脚类／真蜥脚龙类	4.8m	●	30
切布龙	蜥脚类／鲸龙类	8~9m	●	12
切齿龙	兽脚类／不明	90cm?	●	31
切雷布鸟	鸟类／反鸟类	不明	●	24
窃蛋龙	兽脚类／窃蛋龙科	1.5m	●	27,35,36
窃螺龙	兽脚类／窃蛋龙科	1.5m	●	26
禽龙	鸟脚类／禽龙科	10m	●	8,9,10,11,13,14,27,34,39
青岛龙	鸟脚类／鸭嘴龙科	10m	●	31
轻巧龙	兽脚类／不明	6m	●	13
倾齿龙	沧龙类	8~10m	●	21
曲颌形翼龙	翼龙类／喙嘴龙类	1.7m	●	8

R

▼中文名（属名）	▼分类	体长▼	▼时代	页码▼
热河鸟	鸟类／不明	75cm	●	31
日本龙	鸟脚类／鸭嘴龙科	5m 以上	●	25
汝阳龙	蜥脚类／泰坦巨龙类	30m	●	31
锐龙	覆盾甲龙类／剑龙科	8m	●	8,11
瑞钦龙	兽脚类／窃蛋龙类	2~2.5m	●	26
瑞拖斯龙	蜥脚类／不明	12~15m	●	21
弱角龙	头饰龙类／角龙科	90cm	●	17,26

S

▼中文名（属名）	▼分类	体长▼	▼时代	页码▼
萨尔塔龙	蜥脚类／萨尔塔龙科	12m	●	19
三角龙	头饰龙类／角龙科	9m	●	14,15,17,34,35,39
三角区龙	蜥脚类／纳摩盖吐龙科	8m?	●	18
三角洲奔龙	兽脚类／阿贝力龙科？	8m	●	12
桑塔纳盗龙	兽脚类／暴龙类	1.25m	●	18
沙漠龙	覆盾甲龙类／甲龙科	7m	●	27
鲨齿龙	兽脚类／鲨齿龙科	12m	●	12,13,18
山东龙	鸟脚类／鸭嘴龙科	15m	●	30,31
闪电兽龙	鸟脚类／原始的鸟脚类	2m	●	21
扇冠大天鹅龙	鸟脚类／赖氏龙类	12m	●	25
伤齿龙	兽脚类／伤齿龙科	2.4m	●	14,17
伤形龙	兽脚类／阿贝力龙类	不明	●	28
上龙	蛇颈龙类／上龙科	12m	●	11
蛇发女怪龙	兽脚类／暴龙科	8.5m	●	14,17,33
蛇颈龙	蛇颈龙类／蛇颈龙类	3.5m	●	11,12
神鹰盗龙	兽脚类／斑龙类	7m	●	19
胜王龙	兽脚类／阿贝力龙科	9m	●	28
诗琳通龙	鸟脚类／鸭嘴龙类	6m	●	29
食肉牛龙	兽脚类／阿贝力龙科	8m	●	19
食蜥王龙	兽脚类／异特龙科	11~13m	●	15
始奔龙	鸟臀类／不明	1m	●	13
始盗龙	蜥脚类／瓜巴龙科	1m	●	19
始三角龙	头饰龙类／角龙科	9m	●	17
始鲨齿龙	兽脚类／鲨齿龙科	6~8m	●	12
始鸭嘴龙	鸟脚类／鸭嘴龙科	7~8m	●	14
始中国羽龙	兽脚类／伤齿龙科？	30cm	●	31
始祖鸟	鸟类／始祖鸟科	40cm	●	9
嗜鸟龙	兽脚类／虚骨龙类	2m	●	15
手齿龙	鸟脚类／畸齿龙类	60~75cm	●	19
鼠龙	蜥脚类／原始的蜥脚形类	8cm?	●	19
蜀龙	蜥脚类／蜀龙科	9m	●	30
曙光龙	兽脚类／不明	50cm	●	31
双脊龙	兽脚类／双脊龙科	7m	●	14,30
双型齿翼龙	翼龙类／喙嘴龙类	1.5m?	●	11
斯基玛萨龙	兽脚类／棘龙类	1.6m?	●	12
斯托姆博格龙	新鸟臀类／原始的新鸟臀类	2m	●	13
死神龙	兽脚类／镰刀龙科	3.5m	●	27
四川龙	兽脚类／中华盗龙科	6m	●	30
似驰龙	兽脚类／驰龙类	1.8m	●	9
似鳄龙	兽脚类／棘龙科	11m	●	12
似花君龙	覆盾甲龙类／剑龙类	5m?	●●	13
似鸡龙	兽脚类／似鸟龙科	6m	●	26
似金翅鸟龙	兽脚类／似鸟龙类	3.5m	●	27
似金娜里龙	兽脚类／似鸟龙类	3m	●	29
似鸟龙	兽脚类／似鸟龙科	3.5m	●	14,17
似鸟身女妖龙	兽脚类／似鸟身女妖龙科	5m	●	27
似鸟形龙	兽脚类／角鼻龙类	2m?	●	28
似松鼠龙	兽脚类／斑龙科	70cm	●	9
似提姆龙	兽脚类／似鸟龙类？	3.5m?	●	20
似鹈鹕龙	兽脚类／似鸟龙科	1.8m	●	8
似鸵龙	兽脚类／似鸟龙科	5m	●	17
苏莱曼龙	蜥脚类／原始的泰坦巨龙类	15m?	●	28
索德斯龙	翼龙类／喙嘴龙类	60cm	●	24
索伦龙	兽脚类／鲨齿龙科	12m?	●	12

T

▼中文名（属名）	▼分类	体长▼	▼时代	页码▼
塔奇拉盗龙	兽脚类／原始的新兽脚类	1.5m	●	18
塔斯马尼亚龙	主龙类	1m	●	20

细体字为恐龙以外的生物
翼龙的体长为翼展的长度
时代：● 三叠纪 ● 侏罗纪 ● 白垩纪

▼中文名（属名）	▼分类	体长▼	▼时代	页码▼
塔邹达龙	蜥脚类／火山齿龙类	9m	●	12
泰曼鱼龙	鱼龙类／泰曼鱼龙科	10m?	●	11
泰坦巨龙	蜥脚类／泰坦巨龙类	12~19m	●	18,28
汤达鸠龙	蜥脚类／大鼻龙类	20m	●	13
特暴龙	兽脚类／暴龙科	10m	●	26,32,33,36
特立尼龙	鸟脚类／不明	2m	●	23
特维尔切龙	蜥脚类／泰坦巨龙形类	15m	●	19
天青石龙	兽脚类／窃蛋龙类	1.7m	●	26
天山龙	蜥脚类／原始的蜥脚类	12m	●	30
天宇盗龙	兽脚类／驰龙科	1.6m	●	31
天宇龙	鸟臀类／畸齿龙科	75cm	●	31
帖木儿龙	兽脚类／暴龙类	3m	●	24,32
图兰角龙	头饰龙类／角龙科	2m	●	24
图里亚龙	蜥脚类／图里亚龙类	30m	●●	8
托尼龙	蜥脚类／梁龙类	26m?	●	13
沱江龙	覆盾甲龙类／剑龙科	7m	●	30
W				
蛙嘴龙	翼龙类／喙嘴龙类	50cm	●	9
瓦尔盗龙	兽脚类／驰龙类	2.7m	●	8
皖南龙	头饰龙类／厚头龙科	60cm	●	31
腕龙	蜥脚类／腕龙科	26m	●	15,35
维达格里龙	兽脚类／阿贝力龙类	8m 以上？	●	28
尾羽龙	兽脚类／尾羽龙科	90cm	●	31
温迪角龙	头饰龙类／角龙科	6m	●	17
温顿巨龙	蜥脚类／泰坦巨龙类	15m?	●	20
乌贝拉巴巨龙	蜥脚类／泰坦巨龙类	12m?	●	18
乌尔巴克齿龙	兽脚类／伤齿龙科	70cm?	●	24
乌尔禾龙	覆盾甲龙类／剑龙科	6m	●	30
乌奎洛龙	兽脚类／半鸟亚科	2~3m	●	19
威拉弗龙	鸟脚类／冠龙类	8m	●	14
无鼻角龙	头饰龙类／角龙科	7m	●	17
无齿翼龙	翼龙类／翼手龙类	6m	●	14
无畏龙	鸟脚类／禽龙科？	7~8m	●	12,13
五彩冠龙	兽脚类／原角鼻龙科	3m	●	30,32,33
五角龙	头饰龙类／角龙科	8m	●	14
X				
西北阿根廷龙	兽脚类／西北阿根廷龙科	2.5m	●	19
西龙	覆盾甲龙类／剑龙科	5m	●	15
西爪龙	兽脚类／驰龙科	50~70cm	●	17
蜥鸟盗龙	兽脚类／驰龙科	1.8m?	●	14,17
细细坡龙	蜥脚类／板龙科	4m	●	30
狭翼鱼龙	鱼龙类／狭翼鱼龙科	3m	●	8,11
纤角龙	头饰龙类／纤角龙科	1.8m	●	14,17
纤手龙	兽脚类／单足龙科	2m?	●	17
暹罗暴龙	兽脚类／不明	6m	●	29
暹罗龙	兽脚类／棘龙类	9m	●	29
橡树龙	鸟脚类／橡树龙科	2.5~4.5m	●	15,24
小盗龙	兽脚类／驰龙科	90cm	●	31
小盾龙	覆盾甲龙类／不明	1.2m	●	14
小贵族龙	鸟脚类／鸭嘴龙类	9m	●	14
小掠龙	兽脚类／暴龙类	3~4m	●	32,33
小坐骨龙	兽脚类／虚骨龙类	2.1m	●	18
晓廷龙	鸟类／始祖鸟科	40cm	●	31
胁空鸟龙	兽脚类／驰龙科	70cm	●	13
新猎龙	兽脚类／新猎龙科	7.5m	●	11
星牙龙	蜥脚类／不明	15m	●	15
醒龙	鸟臀类／畸齿龙科	1.2m	●	13
匈牙利龙	覆盾甲龙类／结节龙的近亲	4m	●	9
雄关龙	兽脚类／暴龙类？	4m	●	30,32,33
秀颌龙	兽脚类／美颌龙科	1.3m	●	8,9
秀尼鱼龙	鱼龙类／萨斯特鱼龙科	15m	●	14
虚骨龙	兽脚类／虚骨龙科	2m	●	15
虚骨形龙	兽脚类／虚骨龙科	2~2.5m	●	28
叙五龙	鸟脚类／鸭嘴龙超科？	5m	●	30
血王龙	兽脚类／暴龙科	8m	●	33
Y				
鸭嘴龙	鸟脚类／鸭嘴龙科	8m?	●	15,22,36
牙克煞龙	鸟脚类／赖氏龙类	9m	●	24
亚伯达角龙	头饰龙类／角龙科	6m	●	17
亚冠龙	鸟脚类／鸭嘴龙科	10m	●	14,17
亚马孙龙	蜥脚类／雷巴齐斯龙科	12m 以下	●	18
亚洲角龙	头饰龙类／原始的角龙类？	1.8m	●	24
盐海龙	鸟脚类／鸭嘴龙科	8m	●	24
妖精翼龙	翼龙类／翼手龙类	4m	●	18
耀龙	兽脚类／擅攀鸟龙科	25cm	●？	31
野龙	蜥脚类／原蜥脚类	3m	●●	20
野牛龙	头饰龙类／角龙科	6m	●	14
伊森龙	蜥脚类／不明	6.5m 以上	●	29
伊斯的利亚龙	蜥脚类／雷巴齐斯龙类	20m?	●	9
异特龙	兽脚类／异特龙科	12m	●	8,14,23,28,35
翼手龙	翼龙类／翼手龙类	1.5m	●	9
银龙	蜥脚类／泰坦巨龙类	20~30m	●	19
隐龙	头饰龙类／朝阳龙科	1.2m	●	30
隐面龙	兽脚类／阿贝力龙科	6m	●	12
印度鳄龙	兽脚类／阿贝力龙科	不明	●	28
鹦鹉嘴龙	头饰龙类／鹦鹉嘴龙科	1.8m	●	24,25,27,29,31
永川龙	兽脚类／中华盗龙科	10.5m	●	30,31
永生龙	蛇颈龙类／蛇颈龙类	2.5m	●	20
优肢龙	蜥脚类／板龙类	8m	●	13
鱼龙	鱼龙类／鱼龙科	2m	●●	8,11,34
鱼猎龙	兽脚类／棘龙科	9m	●	29
屿峡龙	兽脚类／暴龙超科	7m	●	14,33
羽暴龙	兽脚类／暴龙类	9m	●	31,32,33
原巴克龙	鸟脚类／鸭嘴龙超科	5.5m	●	30
原盖龟	龟类	1.2m	●	12
原角鼻龙	兽脚类／原角鼻龙科	3m	●	11
原角龙	头饰龙类／原角龙科	2m	●	27,30,35
原始祖鸟	兽脚类／不明	70cm	●	31
原栉龙	鸟脚类／鸭嘴龙科	9m	●	17
圆顶龙	蜥脚类／圆顶龙科	18m	●	15
约巴龙	蜥脚类／不明	24m	●	12
云南龙	蜥脚类／云南龙科	7m	●	30
Z				
葬火龙	兽脚类／窃蛋龙科	2.7m	●	26
扎纳巴扎尔龙	兽脚类／伤齿龙科	2m?	●	26
詹尼斯龙	蜥脚类／泰坦巨龙类	24m?	●	13
沼泽龙	鸟脚类／鸭嘴龙科	5m	●	9
沼泽鸟龙	兽脚类／驰龙类	70cm?	●	9
浙江龙	覆盾甲龙类／结节龙科	4m	●	31
真双型齿翼龙	翼龙类／真双型齿翼龙科	90cm	●	22
栉龙	鸟脚类／鸭嘴龙科	12m	●	17,26
智利龙	兽脚类／坚尾龙类	3m	●	19
中国暴龙	兽脚类／暴龙类	9m	●	32,33
中国猎龙	兽脚类／伤齿龙科	1.2m	●	31
中国鸟脚龙	兽脚类／伤齿龙科	1m	●	30
中国鸟龙	兽脚类／驰龙科	90cm	●	31
中国似鸟龙	兽脚类／似鸟龙科	2.5m	●	30
中华盗龙	兽脚类／中华盗龙科	7.6m	●	30
中华丽羽龙	兽脚类／美颌龙科	2.1~2.4m	●	31
中华龙鸟	兽脚类／美颌龙科	1.3m	●	30,31
重腿龙	兽脚类／阿瓦拉慈龙类	2m?	●	9
重爪龙	兽脚类／棘龙科	10m	●	8,10,11,12
胄甲龙	覆盾甲龙类／结节龙科	7m	●	17
皱褶龙	兽脚类／阿贝力龙科	6m	●	12
侏罗猎龙	兽脚类／不明	80cm 以上	●	9
诸城暴龙	兽脚类／暴龙科	10m	●	32,33
铸镰龙	兽脚类／镰刀龙类	4m	●	14
爪爪龙	覆盾甲龙类／结节龙科	4.5m	●	14
准格尔翼龙	翼龙类／翼手龙类	3m	●	30
准角龙	头饰龙类／角龙科	6m	●	17
足羽龙	原始的手盗龙形类	60m?	●	31
祖父板龙	蜥脚类／原始的蜥脚形类	7.5m?	●	13
祖尼角龙	头饰龙类／不明	3.5m	●	14

化石发现地地名

【p.8-9】

■英国：①斯凯岛西北部海岸②安特里姆郡③剑桥郡④牛津郡⑤萨里郡⑥怀特岛

■法国：⑦诺曼底⑧南锡⑨⑩汝拉山脉⑪⑫⑬蓝色海岸

■西班牙：⑭加泰罗尼亚自治区莱里达省⑮佩尼亚罗亚德塔斯塔温斯⑯阿拉贡自治区特鲁埃尔省⑰巴伦西亚⑱卡斯蒂利亚 - 拉曼查自治区⑲卡斯蒂利亚 - 莱昂自治区

■葡萄牙：⑳莱里亚㉑卢雷亚楼㉒塞图巴尔　**■比利时**：㉓埃诺省

■荷兰：㉔林堡省㉕海尔德兰省　**■丹麦**：㉖博恩霍尔姆岛

■德国：㉗梅克伦堡 - 前波美拉尼亚州㉘下萨克森州㉙图林根州㉚巴登 - 符腾堡州霍尔茨马登村㉛拜恩州索伦霍芬村㉜汝拉山脉㉝拜恩州

■瑞士：㉞沙夫豪森　**■意大利**：㉟弗留利 - 威尼斯朱利亚区乌迪内省㊱坎帕尼亚区

■克罗地亚：㊲布里俄尼群岛　**■匈牙利**：㊳维斯普雷姆

■捷克：㊴库特纳霍拉　**■波兰**：㊵路卜谢㊶圣十字山脉

■罗马尼亚：㊷胡内多阿拉㊸辛佩托尔　**■保加利亚**：㊹弗拉察

【p.10-11】

■英国：①②北约克郡③林肯郡④⑤剑桥郡⑥贝德福德郡⑦北安普敦郡⑧肯特郡⑨西萨塞克斯郡⑩萨里郡⑪⑫⑬牛津郡⑭格洛斯特郡⑮⑯威尔特郡⑰布里斯托尔⑱⑲萨默塞特郡⑳㉑㉒㉓多塞特郡㉔怀特岛㉕北爱尔兰安特里姆郡㉖斯凯岛西北部海岸

【p.12-13】

■摩洛哥：①阿特拉斯山脉②卡玛卡玛地层　**■阿尔及利亚**：③撒哈拉沙漠・阿特拉斯山脉

■突尼斯：④泰塔温省⑤雪尼尼村⑥德西巴附近地区　**■利比亚**：⑦纳卢特⑧贾杜

■埃及：⑨巴哈利亚绿洲　**■马里**：⑩提莱姆西⑪提卡鲁卡斯⑫伊贝卢亚内南部

■尼日尔：⑬泰德勒弗特⑭伊瓜拉拉山⑮泰内雷沙漠（埃尔哈次地层）

■喀麦隆：⑯恩冈代雷　**■肯尼亚**：⑰图尔卡纳湖附近

■安哥拉：⑱本戈省⑲卡托卡钻石采矿场　**■坦桑尼亚**：⑳坦桑尼亚西南部㉑汤达鸠

■马拉维：㉒卡龙加　**■赞比亚**：㉓鲁西次村附近

■津巴布韦：㉔史同堡山脉　**■南非**：㉕北开普省㉖西开普省（柯克伍德层）

■南非、莱索托：㉗东开普省（艾略特地层）

■马达加斯加：㉘穆隆达瓦盆地㉙梅巴拉诺㉚西部

■黎巴嫩：㉛杰津　**■约旦**：㉜安曼近郊

■沙特阿拉伯：㉝泰布克　**■伊朗**：㉞厄尔布尔士山脉㉟克尔曼省

■阿曼：㊱马斯喀特

【p.14-15】

■美国：①蒙大拿州冰川郡②蒙大拿州希尔县③蒙大拿州弗格斯县④蒙大拿州加菲尔德县（地狱溪地层）⑤怀俄明州尼奥布拉拉县⑥怀俄明州康弗斯县（莫里森地层）⑦怀俄明州奥尔巴尼县（莫里森地层）⑧科罗拉多州梅萨县（莫里森地层）⑨科罗拉多州西南部干燥台地（莫里森地层）⑩科罗拉多州杰斐逊县⑪犹他州艾麦里县（莫里森地层）⑫犹他州格兰德县⑬新墨西哥州圣胡安县⑭新墨西哥州卡特伦县⑮新墨西哥州奎伊县⑯新墨西哥州谢拉县⑰亚利桑那州科科尼诺县⑱内华达州⑲北达科他州水牛城⑳南达科他州（地狱溪地层等）㉑堪萨斯州西北部㉒堪萨斯州安特勒斯县㉓得克萨斯州登顿㉔得克萨斯州塔兰特县㉕得克萨斯州胡德县㉖得克萨斯州布鲁斯特县㉗康涅狄格州哈特福德县㉘新泽西州蒙默思县

■墨西哥：㉙下加利福尼亚州㉚科阿韦拉州㉛米却肯州

■古巴：㉜比尼亚莱斯谷

【p.16-17】

■美国（阿拉斯加州）：①北坡自治市镇科尔维尔河②北坡自治市镇西部③北坡自治市镇育空河流域④德纳利国家公园⑤塔基特纳山脉西部⑥黑湖⑦亚尼卡库国家公园

■加拿大：⑧育空地区皮尔河流域⑨西北地区东小熊河流域⑩西北地区海河流域⑪不列颠哥伦比亚省⑫温哥华岛⑬艾伯塔省恐龙公园内⑭艾伯塔省克罗斯内斯特山口⑮艾伯塔省荒原恶地（老人地层）⑯萨斯喀彻温省⑰新斯科舍省⑱拜洛特岛⑲德文岛

【p.18-19】

■委内瑞拉：①梅里达山脉　**■哥伦比亚**：②马格达莱纳省③莱瓦镇

■巴西：④马拉尼昂州伊塔佩库鲁河流域⑤塞阿拉州阿拉里皮盆地⑥帕拉伊巴州⑦马托格罗索州⑧南马托格罗索州等地（巴拉那盆地）⑨圣保罗⑩南里奥格兰德州

■乌拉圭：⑪索里亚诺省　**■秘鲁**：⑫安卡什区⑬库斯科区⑭克鲁鲁巴・奇科地区

■玻利维亚：⑮卡尔欧罗可

■智利：⑯查加利亚地区⑰阿塔卡马沙漠⑱科金博区⑲奥伊金斯将军区⑳艾森区

■阿根廷：㉑萨尔塔省㉒伊斯奇瓜拉斯托 - 塔兰帕亚天然公园“月亮谷”（圣胡安省、拉里奥哈省）㉓圣路易斯省㉔内乌肯省㉕丘布特省㉖圣克鲁斯省

【p.20-21】

■澳大利亚：①西澳大利亚州布鲁姆②③西澳大利亚州杰拉尔顿④西澳大利亚州金金⑤昆士兰州约克角⑥昆士兰州里士满⑦昆士兰州温顿⑧昆士兰州休恩登⑨昆士兰州马塔巴拉⑩昆士兰州罗马地区⑪新南威尔士州⑫南澳大利亚州⑬维多利亚州奥特韦角⑭维多利亚州因沃洛什⑮塔斯马尼亚岛

■新西兰：⑯北岛曼加豪安加溪⑰北岛蒂努伊⑱南岛怀帕拉⑲沙格波因特

【p.22】

■格陵兰：①格陵兰岛东部　**■挪威**：②斯匹次卑尔根岛

■加拿大：③拜洛特岛④德文岛⑤阿克塞尔・海伯格岛⑥海河流域⑦西北地区

■美国：⑧育空地区⑨北坡自治市镇科尔维尔河　**■俄罗斯**：⑩新西伯利亚岛

【p.23】

①柯克帕特里克山②詹姆斯・罗斯岛、维加岛

【p.24-25】

■白俄罗斯：①明斯克

■俄罗斯：②克里木半岛③伏尔加格勒州④萨拉托夫州⑤希斯塔科沃村⑥贝加尔湖东南部⑦古林达⑧阿穆尔州布拉戈维申斯克（海兰泡）⑨阿穆尔州昆杜尔镇⑩萨哈（雅库特）共和国⑪马加丹州卡卡纳托河流域⑫萨哈林州

■哈萨克斯坦：⑬克孜勒奥尔达州⑭哈萨克斯坦中南部⑮奇尔克杜克⑯卡拉巴尔塔

■乌兹别克斯坦：⑰克孜勒库姆沙漠　**■塔吉克斯坦**：⑱伊斯法拉

■吉尔吉斯斯坦：⑲吉尔吉斯斯坦西南部　**■土库曼斯坦**：⑳里海沿岸

【p.26-27】

■蒙古：①普金萨夫②阿尔唐乌拉③呼尔桑④耐梅盖特⑤乌哈托喀⑥赫尔敏萨夫⑦夏萨夫⑧扎门孔德⑨图格里金西雷⑩贝新萨夫⑪阿木托盖⑫呼兰杜夫⑬哈马呼拉鲁⑭康林乌斯

【p.28-29】

■巴基斯坦：①马拉肯②维达格里③巴基斯坦西部

■印度：④古吉拉特邦⑤贾巴尔普尔⑥安得拉邦

■缅甸：⑦克钦邦胡冈谷地　**■泰国**：⑧猜也蓬府⑨呵叻府（那空叻差是玛府）⑩孔敬府

■老挝：⑪沙湾拿吉省　**■马来西亚**：⑫彭亨州砂拉越

■菲律宾：⑬巴拉望岛

【p.30-31】

■中国：①新疆维吾尔自治区克拉玛依市②新疆维吾尔自治区准噶尔盆地③甘肃省河西地区④甘肃省酒泉市、嘉峪关市⑤甘肃省兰州市⑥内蒙古自治区巴彦淖尔市⑦内蒙古自治区阿拉善盟⑧内蒙古自治区二连浩特市⑨内蒙古自治区呼和浩特市⑩西藏自治区⑪四川省自贡市⑫重庆市⑬云南省禄丰县⑭广西壮族自治区⑮河南省⑯广东省⑰浙江省⑱安徽省⑲山东省临沂市⑳山东省诸城县㉑山东省青岛市㉒河北省㉓内蒙古自治区㉔辽宁省朝阳市㉕辽宁省建昌县㉖辽宁省北票市㉗辽宁省锦州市㉘吉林省㉙黑龙江省

■朝鲜：㉚新义州市　**■韩国**：㉛京畿道㉜庆上北道㉝庆上南道㉞全罗南道

■日本：㉟兵库县丹波市㊱福井县胜山市㊲石川县白山市

【p.32-33】

■乌兹别克斯坦：①克孜勒库姆沙漠　**■蒙古**：②普金萨夫③巴彦思楞

■中国：④新疆维吾尔自治区准噶尔盆地⑤新疆维吾尔自治区吐鲁番盆地⑥甘肃省⑦内蒙古自治区呼和浩特市⑧内蒙古自治区二连浩特市⑨河南省⑩广东省⑪江西省⑫山东省⑬辽宁省

■俄罗斯：⑭阿穆尔州　**■韩国**：⑮庆上南道

■日本：⑯长崎县长崎市⑰熊本县御船町⑱兵库县丹波市⑲石川县白山市⑳福井县大野市

■加拿大：㉑艾伯塔省恐龙公园㉒艾伯塔省克罗斯内斯特山口㉓萨斯喀彻温省

■美国：㉔阿拉斯加州科尔维尔河流域㉕蒙大拿州冰川县㉖蒙大拿州希尔县㉗蒙大拿州加菲尔德县㉘北达科他州、南达科他州（地狱溪地层）㉙怀俄明州尼奥布拉拉县㉚科罗拉多州杰斐逊县㉛犹他州南部㉜新墨西哥州圣胡安县㉝新墨西哥州谢拉县㉞得克萨斯州布鲁斯特县

■墨西哥：㉟下加利福尼亚州

后　记

人类知道有恐龙的存在，至今还不到200年。恐龙，这一生活在远古地球上的神秘生物，吸引了人们的大量关注，恐龙化石的发掘在世界各地展开。结果证实世界各地都曾存在过非常多的恐龙。

本书以化石发现地为“主线”，对世界各地发现的恐龙进行介绍，使恐龙在世界各地的分布情况以及它们随时代演变的情况一目了然。但是，发现的始终是化石，要将恐龙视为活体动物从而了解它们各方面的情况，还需要之后大量的研究工作。

此外，如此繁荣的动物为什么突然灭亡了？这也是我们对人类的未来需要加以考虑的重要课题。以本书为契机，我希望读者在关注恐龙的同时，也要关注地球的历史和动物生存环境等问题。

2017年2月3日　久邦彦

在本书的撰写过程中，我参考了许多书籍、论文和博物馆主页，希望尽可能对目前已经发现了的化石都介绍到，即便某些化石在分类和解释方面还存在争议。

从19世纪发现恐龙化石到现在，通过众多的研究人员的不懈努力，我们对恐龙的了解才能达到今天的程度，对此我要表示衷心的感谢。

文　图　/　久邦彦（Hisa Kunihiko）

1944年出生于日本东京，毕业于庆应义塾大学。
执笔过多本漫画、插图和绘本的绘画工作。
1972年，荣获日本第18届文春漫画奖。
同时，他也作为恐龙研究者为人所知，
经常访问日本以及海外的恐龙发掘现场和博物馆。
对动物知识也有深入的了解，担任包括东京动物园协会评议员等工作。
主要著作有：
《恐龙研究室》《日本的恐龙》《动物足迹图鉴》等。
现居日本神奈川县横滨市。

著作权合同登记号　图字：15-2019-16号

图书在版编目（CIP）数据

世界恐龙发现地图 /（日）久邦彦著、绘；张辰译.
-- 济南：山东省地图出版社，2020.2
ISBN 978-7-5572-0726-7

Ⅰ. ①世… Ⅱ. ①久… ②张… Ⅲ. ①恐龙—普及读物 Ⅳ. ①Q915.864-49

中国版本图书馆CIP数据核字(2019)第287742号

世界恐龙发现地图

策　　划 / 张国勇
责任编辑 / 李炳星
策划编辑 / 张俊杰
美术编辑 / 徐增锐
出版发行 / 山东省地图出版社
印　　刷 / 深圳市星嘉艺纸艺有限公司
经　　销 / 全国各地新华书店
开　　本 / 880×1230 1/16
印　　张 / 3.25
版　　次 / 2020年2月第1版
印　　次 / 2020年2月第1次印刷
书　　号 / ISBN 978-7-5572-0726-7
审 图 号 / GS（2019）5884号
定　　价 / 88.00元

使用提示：本地图集采用手绘插图的形式介绍世界各地的古生物发现地，书中插图系原书插图。书中所有涉及领土、政区、界线的内容均不能作为划界依据和主张。